MINECRAFT

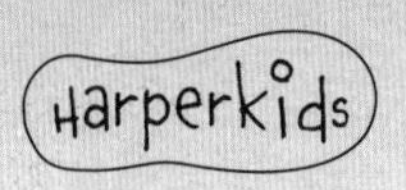

First published in Great Britain 2022 by Farshore
An imprint of HarperCollins*Publishers*
1 London Bridge Street, London SE1 9GF
www.farshore.co.uk

HarperCollins*Publishers*
Macken House, 39/40 Mayor Street Upper,
Dublin 1, D01 C9W8, Ireland

Illustrations by Ryan Marsh
Special thanks to Sherin Kwan, Alex Wiltshire and Milo Bengtsson

This book is an original creation by Farshore

Tłumaczenie: Anna Hikiert
Wydawca: Anna Czerepaniak
Redaktor prowadzący: Roma Król
Redakcja: Jolanta Król. Korekta: Katarzyna Sarna
Redakcja techniczna: Ewa Jurecka
DTP: Ekart

Wydanie pierwsze, Warszawa 2022
HarperCollins Polska sp. z o.o.
ul. Domaniewska 34A, 02-672 Warszawa
ISBN 978-83-276-7236-0
Druk: Włochy
ID HC23GLO0005-06

RADY DLA MŁODYCH FANÓW DOTYCZĄCE BEZPIECZEŃSTWA

Czas spędzony w sieci to świetna zabawa! Oto parę prostych zasad, dzięki którym młodsi fani będą bezpieczni podczas gry, a internet stanie się doskonałym źródłem rozrywki:

– Nigdy nie podawaj swojego prawdziwego nazwiska – nie używaj go nawet jako nazwy użytkownika.
– Nigdy nie zdradzaj nikomu żadnych danych osobowych.
– Nigdy nie mów nikomu, ile masz lat ani do której szkoły chodzisz.
– Nigdy nie podawaj nikomu – oprócz rodzica czy opiekuna – swojego hasła.
– Pamiętaj, że aby założyć konto na niektórych stronach, musisz mieć ukończone 13 lat. Zawsze czytaj regulamin strony, a zanim się zarejestrujesz, zapytaj o zgodę rodzica lub opiekuna.
– Jeśli coś cię zaniepokoi, zawsze informuj rodzica lub opiekuna.

Bądź bezpieczny w sieci. Wszystkie adresy www wymienione w tej książce były aktualne w chwili oddawania jej do druku.

Wydawnictwo HarperCollins nie odpowiada jednak za treści udostępniane przez osoby trzecie. Proszę pamiętać, że treści online mogą być modyfikowane, a strony internetowe – zawierać treści nieodpowiednie dla dzieci. Zalecamy, aby dzieci korzystały z internetu pod nadzorem dorosłych.

Wydawnictwo HarperCollins poważnie podchodzi do kwestii świadomości ekologicznej oraz dbałości o środowisko. Staramy się, by papier, na którym drukowane są nasze książki, pochodził z odpowiedzialnie zarządzanych lasów i od sprawdzonych dostawców.

MINECRAFT

PODRĘCZNIK CZERWONEGO KAMIENIA

SPIS TREŚCI

1. PODSTAWY

2. JAK TO DZIAŁA?

3. ZRÓB TO SAM

WITAJ W OFICJALNYM *PODRĘCZNIKU CZERWONEGO KAMIENIA* MINECRAFTA!

W świecie Minecrafta zawsze jest wiele do odkrycia. Nawet najdzielniejsi pogromcy Smoka Endu, najbardziej nieustraszeni elytrowi lotnicy czy budowniczowie megamiast mogli nie zgłębić jeszcze wszystkich tajemnic niesamowitego czerwonego kamienia!

Wiedza o możliwościach wykorzystania czerwonego kamienia pozwala na: budowanie pułapek, dzięki którym można spłatać figla przyjaciołom, przydatnych urządzeń, które zautomatyzują uprawy, a nawet komputerów działających „wewnątrz" gry!

Używanie tego surowca pozwala uzyskać wiele satysfakcjonujących rozwiązań! Jedynym ograniczeniem może być tylko twoja wyobraźnia. Bramki NOR czy komparatory też mogą nieco onieśmielać nowicjusza. Z *Podręcznika czerwonego kamienia* dowiesz się więc wszystkiego, co trzeba, aby pokonać trudności i zostać ekspertem!

Podręcznik podzieliliśmy na trzy części. W pierwszej przedstawiamy bloki współpracujące z czerwonym kamieniem i wyjaśniamy, co robią. W drugiej pokazujemy, jak tworzyć podstawowe czerwone mechanizmy występujące w wielu konstrukcjach – od obwodów zegarowych, aż po schody. Na koniec zaś wykorzystamy tę wiedzę w praktyce, aby zbudować fantastyczne urządzenia, które na pewno zrobią wielkie wrażenie na twoich przyjaciołach!

NA CO WIĘC CZEKASZ? DO DZIEŁA!

PODSTAWY

Chcesz zostać inżynierem czerwonego kamienia? Cóż, najpierw musisz poznać wszystkie narzędzia, których będziesz używać. W tej części zaprezentujemy ci liczne czerwone bloki, które tworzą czerwony sygnał, kierują nim i wykorzystują go do uzyskiwania różnych przydatnych efektów.

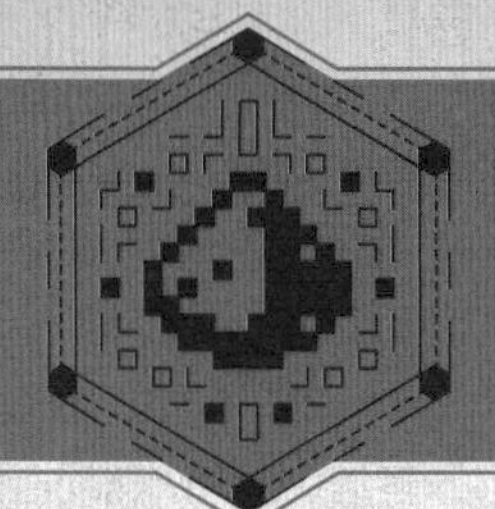

CZYM JEST CZERWONY KAMIEŃ?

GDZIE MOGĘ GO ZDOBYĆ?

Czerwony kamień znajdziesz w formie złóż na poziomach od -63 do 15 – zwykłych lub łupkowych (jeśli kopiesz wystarczająco głęboko), ale najpowszechniej występuje on na dolnych 30 poziomach. Aby go wydobyć, użyj co najmniej żelaznego kilofa. Gdy zniszczysz kamień, wypadnie z niego do pięciu garści czerwonego pyłu.

CO MOŻNA ZROBIĆ Z PYŁU?

Wszystko!!! Jeśli rozsypiesz pył na bloku, utworzy na nim ciemną plamę. Gdy jednak umieścisz obok niego źródło zasilania, na przykład czerwoną pochodnię, to pył się rozjarzy, wydzieli cząsteczki i prześle sygnał.

To jednak oczywiście nie wszystko! Rozsyp pył na sąsiadujących ze sobą blokach, a połączy się on i zmieni układ tak, aby przenosić sygnał w maksymalnie czterech kierunkach. Poniższe przykłady to tylko kilka dostępnych opcji.

Spójrz na czerwony kamień jak na główny przewodnik w obwodach. W swojej najczystszej formie czerwonego pyłu możesz go wykorzystać do tworzenia wielu komponentów lub przekazywania między nimi sygnału. Jeśli chcesz zautomatyzować jakąkolwiek funkcję w grze, użyj czerwonego kamienia.

CO MOŻNA ZROBIĆ Z CZERWONYM SYGNAŁEM?

Aktywny czerwony pył prześle sygnał do większości sąsiednich bloków, w tym zwykłych, a także tych o czerwonych funkcjach (zob. str. 10–13). Gdy sygnał zostanie przesłany do bloku z funkcją, będzie on wykonywał zadanie tak długo, jak długo będzie odbierał sygnał.

CZY TO ZNACZY, ŻE SYGNAŁ BĘDZIE PRZESYŁANY W NIESKOŃCZONOŚĆ?

Nie całkiem. Sygnał może zasilać bloki wiecznie, ale jego moc zależy od źródła i odległości, którą przebędzie – dowiesz się tego z dalszej części książki. Czerwona pochodnia zasili każdą sąsiadującą z nią garść czerwonego pyłu mocą o maksymalnej wartości 15, ale zmniejszy się ona o 1 wraz z każdym pokonanym blokiem. Tak więc pochodnia zasili pył znajdujący się do 15 bloków od niej.

CZY CZERWONY KAMIEŃ POTRAFI COŚ JESZCZE?

Z czerwonego pyłu można również stworzyć na przykład przekaźniki, komparatory i detektory, źródła zasilania, takie jak bloki czerwonego kamienia i detektory światła dziennego, a także inne sprytne urządzenia, takie jak zegary i kompasy. Można go również używać podczas warzenia, aby przedłużyć działanie efektu!

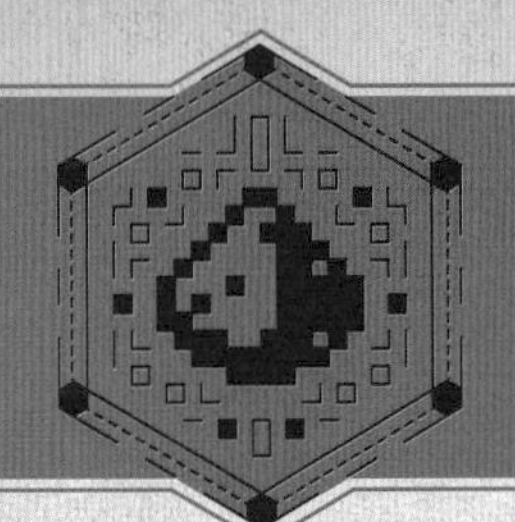

NAJWAŻNIEJSZE CZERWONE BLOKI

BLOK CZERWONEGO KAMIENIA

Jednym z najprostszych źródeł zasilania czerwonym kamieniem jest jego blok, który stworzysz z 9 garści czerwonego pyłu. Wyśle on stały sygnał do bloków w otaczającej go bezpośrednio przestrzeni i nie można go dezaktywować.

CZERWONA POCHODNIA

Uzyskiwana przez połączenie patyka z czerwonym pyłem czerwona pochodnia to przydatne źródło energii, które można umieszczać na podłogach i ścianach. Wyłączy się, jeśli dotrze do niej sygnał z innego miejsca.

DŹWIGNIA

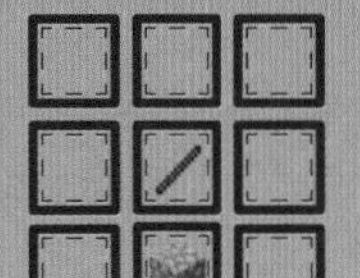

Dźwignie przydają się, gdy chcesz aktywować lub dezaktywować czerwony sygnał. Można je łatwo włączać i wyłączać – włączone, prześlą sygnał o maksymalnej sile do bloku, na którym zostały umieszczone.

PRZYCISK

Wciśnij przycisk, a uzyskasz tymczasowy czerwony sygnał, który automatycznie wyłączy się po kilku tickach. Może być aktywowany tylko przez graczy lub pociski, więc najlepiej używać go jako początkowego źródła zasilania.

PŁYTY NACISKOWE

Istnieją cztery rodzaje płyt naciskowych – każdą z nich aktywuje się w nieco inny sposób. Wszystkie prześlą stały sygnał do sąsiednich bloków, jeśli zostaną odpowiednio aktywowane.

Skoro wiesz już, czym jest czerwony kamień, pora na przegląd głównych bloków, które można wykorzystać w obwodach – niezależnie od tego, czy będą zasilały, przekierowywały sygnał, czy zapewniały efekt końcowy. Najpierw jednak zaopatrz się w dużą liczbę poniższych bloków!

TARCZA STRZELECKA

Blok tarczy wytwarza czerwony sygnał przez określony czas, gdy zostanie trafiony pociskiem. Im bliżej środka trafisz, tym silniejszy będzie sygnał. Celuj w środek, aby uzyskać maksymalną moc!

ZACZEP NA LINKĘ

Rozciągnij linkę między dwoma zaczepami, a otrzymasz źródło energii, które można aktywować, po prostu przechodząc przez nią. Linkę trudno zauważyć, więc to częsty element pułapek.

SKRZYNIA PUŁAPKA

Wygląda niemal identycznie jak normalna skrzynia. Poznasz ją jedynie po nikłej czerwonej poświacie wokół zamka. Po otwarciu będzie przesyłała czerwony sygnał do sąsiednich bloków, dopóki nie zostanie zamknięta.

DETEKTOR ŚWIATŁA DZIENNEGO

Zasilany przez naturalne światło dzienne detektor wytwarza sygnał o sile zależnej od pory dnia i pogody. Można go odwrócić, tak aby wysyłał sygnał jedynie w przypadku braku słońca.

PRZEKAŹNIK

Przekaźnik wzmacnia czerwony sygnał do maksymalnej wartości 15, dzięki czemu może dotrzeć dalej od źródła zasilania. Kontroluje też przepływ sygnałów, bo przepuszcza przez przednią ścianę tylko jeden.

KOMPARATOR

Komparator mierzy siłę do trzech sygnałów lub odejmuje je od siebie. Używa się go też do określania stopnia zapełnienia bloków magazynujących... a nawet sygnalizowania, ile zostało kawałków ciasta!

TŁOK

Tłok ma moc popychania wielu bloków. Często jest stosowany w obwodach do tworzenia mechanizmów z ruchomymi elementami. Aktywowany przez czerwony sygnał, wysuwa głowicę w stronę bloku będącego przed nim.

LEPKI TŁOK

Oprócz popychania bloków lepki tłok przyciąga też niektóre z nich. Są wyjątki od tej reguły – niektóre bloki mogą się zniszczyć wskutek jego działania. Są też takie, których nie zdoła poruszyć, na przykład obsydian.

DOZOWNIK

W dozowniku możesz magazynować przedmioty, ale gdy dotrze do niego czerwony sygnał, uwolni on swoją zawartość, czasem aktywując przy tym jej funkcję, na przykład wystrzeliwując strzałę lub miksturę miotaną.

PODAJNIK

Tak jak dozownik podajnik to blok magazynujący. Zasilony, uwalnia przedmioty, ale nigdy ich nie aktywuje – to najbezpieczniejszy sposób na przemieszczanie przedmiotów w obwodzie.

LEJ

To najbardziej uniwersalny blok magazynujący. Leje mogą przenosić przedmioty między blokami magazynującymi i gromadzić przedmioty, które w nie wpadną, co czyni je ważną częścią wielu czerwonych mechanizmów.

DETEKTOR

Ten prosty blok stale sprawdza przestrzeń bezpośrednio przed nim i wytwarza czerwony sygnał, wysyłany z jego tylnej ściany, jeśli dostrzeże zmianę. Może wykrywać cały szereg różnych zmian.

SKULKOWY CZUJNIK

Podczas gdy detektor wykrywa głównie zmiany widoczne gołym okiem, skulkowy czujnik reaguje na wibracje. Emituje różne sygnały dla różnych zdarzeń – od kroków aż po otwarcie skrzyni.

DOBRA RADA

Skulkowy czujnik można wydobyć lub znaleźć w skrzyni. Szukaj go w biomie mrocznej głębi.

TORY Z CZUJNIKIEM

Tory z czujnikiem przesuwają wagoniki i wytwarzają czerwony sygnał, gdy któryś po nich przejedzie. Łącząc je z torami aktywacyjnymi i zasilanymi, stworzysz złożone systemy kolejowe.

TORY ZASILANE

Po otrzymaniu czerwonego sygnału zasilane tory mogą aktywować inne znajdujące się wokół nich. Kiedy są aktywne, zwiększą prędkość wagonika, a dezaktywowane – spowolnią go.

TORY AKTYWACYJNE

Wagoniki poruszają się po torach aktywacyjnych tak jak po zwykłych. Gdy tory zostaną zasilone, wszystkie wagoniki, które po nich przejadą, aktywują się: te z lejem będą przenosić przedmioty, a te z TNT wybuchną!

LAMPA

Lampa to jedyne źródło światła zasilane czerwonym sygnałem. Zrobisz ją z czerwonego pyłu i jasnogłazu. W przeciwieństwie do tego ostatniego, można ją włączać lub wyłączać czerwonym sygnałem.

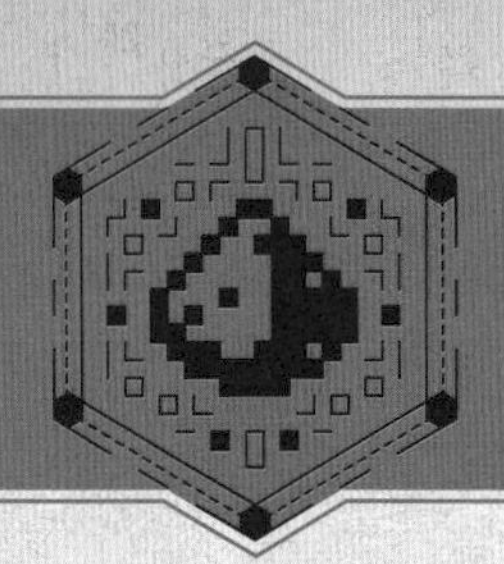

CZERWONA MOC

CZERWONA POCHODNIA

Czerwona pochodnia wysyła stały czerwony sygnał o maksymalnej sile do bloków sąsiadujących z nią w płaszczyźnie poziomej lub tych ponad nią. Domyślnie jest włączona, więc to świetne źródło zasilania lamp. Uważaj jednak – gdy dotrze do niej inne zasilanie lub sygnał, sygnał lampy zostanie odwrócony.

BLOK CZERWONEGO KAMIENIA

Czerwony blok wysyła stały maksymalny sygnał do bloków z nim sąsiadujących. Inaczej niż w przypadku pochodni nie odwrócisz jego sygnału, ale poruszysz go tłokami – zwykłymi i lepkimi, można więc wykorzystać go w systemie, który włączysz i wyłączysz. Zrobisz go z 9 garści pyłu.

DŹWIGNIA

Kliknij na dźwignię, a wytworzy ona ciągły czerwony sygnał o maksymalnej sile aż do ponownego kliknięcia. Jeśli otworzysz nią drzwi, będą one otwarte do czasu wyłączenia dźwigni. Moby jej nie uruchomią, więc świetnie nada się do zabezpieczenia domu.

Aby jakikolwiek czerwony mechanizm zadziałał, musisz użyć któregoś z bloków zasilających. Każdy z nich działa nieco inaczej, więc zawsze znajdziesz taki, który będzie idealny dla twojej konstrukcji. Przyjrzyjmy się im bliżej...

PRZYCISK

Po wciśnięciu przycisku zostanie wysłany tymczasowy maksymalny sygnał do bloku, na którym go umieszczono – lub do sąsiednich elementów – i znów się wyłączy; takie działanie nosi miano trybu monostabilnego. Uruchomione nim drzwi otworzą się na krótko. Będzie można wtedy przez nie przejść. Potem drzwi się zamkną, blokując wejście intruzom.

DETEKTOR ŚWIATŁA DZIENNEGO

Wystawiony na działanie światła naturalnego detektor wysyła zmienny sygnał do sąsiednich elementów – w zależności od stopnia jasności światła. Dzięki temu można go wykorzystać do stworzenia aktywowanych automatycznie po zmroku lamp.

TARCZA STRZELECKA

Gdy trafisz w tarczę strzelecką pociskiem, zacznie ona emitować monostabilny czerwony sygnał; im bliżej środka trafisz, tym sygnał będzie silniejszy. Strzały i trójzęby podwajają czas jego trwania. Tarczy można też użyć do zmiany ścieżki czerwonego pyłu, aczkolwiek pył, który do niej dotrze, w żaden sposób na nią nie wpłynie.

PŁYTY NACISKOWE

Istnieją cztery rodzaje płyt naciskowych – wszystkie aktywuje położony na nich ciężar, dezaktywują się zaś, gdy zostanie on usunięty.

Drewniane płyty zawsze wytwarzają sygnał o maksymalnej sile – niezależnie od tego, czy stanie na nich gracz, mob, czy coś upadnie.

Kamienne płyty wytwarzają taki sam maksymalny sygnał jak drewniane, ale mogą je uruchamiać tylko gracze i moby.

Lekkie płyty naciskowe wytworzą sygnał zmienny zależny od tego, ilu graczy, mobów lub rzeczy się na nich znajdzie. 15 wytworzy maksymalny sygnał.

Ciężka płyta naciskowa zachowuje się tak jak lekka, ale wymaga dziesięciokrotnie większej liczby mobów, przedmiotów lub graczy.

SKRZYNIE PUŁAPKI

Chociaż w skrzyniach pułapkach możesz przechowywać przedmioty, różnią się one od zwykłych tym, że otwarte zasilą sąsiednie czerwone komponenty. Siła ich sygnału jest równa liczbie osób mających do nich dostęp (maksymalnie 15). To blok magazynujący – jego zawartość zmierzysz komparatorami. Wysyła sygnał zależny od stopnia zapełnienia, który wyłączy się, gdy zamkniesz skrzynię.

ZACZEPY NA LINKĘ

Umieść dwa zaczepy na linkę na litych blokach naprzeciwko siebie i przeciągnij między nimi sznurek, żeby zrobić potykacz. Gdy gracz lub mob przejdzie przez linkę, wyśle ona monostabilny sygnał o maksymalnej sile do zaczepów. To przydatne w takich konstrukcjach, jak system alarmowy czy automatyczna wyrzutnia strzał.

DETEKTOR

Detektor monitoruje blok bezpośrednio przed nim i wysyła maksymalny sygnał monostabilny, gdy w bloku tym zajdzie jakaś zmiana. Może na przykład wykryć, gdy element jest obracany w ramce lub gdy urosła trzcina cukrowa. Kiedy zauważy zmianę, wyśle sygnał ze swojej tylnej ściany, znajdującej się po przeciwnej stronie nadzorowanego bloku.

SKULKOWY CZUJNIK

Skulkowy czujnik wykrywa wibracje w promieniu dziewięciu bloków i wysyła monostabilny sygnał – tym silniejszy, im bliżej jest źródło wibracji. Przesyła sygnał bezprzewodowo, więc nie musi być bezpośrednio połączony z czerwonymi komponentami, aby je aktywować. Jeśli jednak nie będziesz ostrożny, możesz niechcący uruchomić części większych konstrukcji. W zależności od rodzaju wibracji wykrywanych przez czujnik możesz użyć komparatora, aby wysłać w oparciu o niego sygnał tradycyjny.

JIGARBOV PRZEDSTAWIA: CZERWONA PRZYGODA

CO SKŁONIŁO CIĘ DO BLIŻSZEGO ZAPOZNANIA SIĘ Z CZERWONYM KAMIENIEM?

Zawsze interesowało mnie tworzenie gier, ale nigdy nie byłem dobry w programowaniu. Wcześniej istniało wiele gier do tworzenia gier, ale łatwość edycji świata Minecrafta i możliwości czerwonego kamienia, w połączeniu z wszechstronną składnią bloków poleceń, pozwoliły mi realizować marzenie o rzeczywistym tworzeniu gier jako ścieżce kariery na Minecraft Marketplace. Wszystko zaczęło się od momentu, w którym kombinując z czerwonym kamieniem w dużym piaskowym świecie, dostrzegłem jego potencjał.

CO SKŁONIŁO CIĘ DO STOSOWANIA CZERWONEGO KAMIENIA?

Pozwala on na tworzenie rzeczy, które umożliwiają manipulowanie światem gry – trochę jak inne narzędzia, ale bardziej pośrednio. Nie jestem dobry w kreatywnym budowaniu, a czerwony kamień pozwala opowiadać historię w bardziej dynamiczny sposób niż poprzez tworzenie statycznego otoczenia.

Na pierwszy rzut oka czerwony kamień wydaje się bardzo skomplikowany! Postanowiliśmy więc porozmawiać ze specjalizującym się w tworzeniu czerwonych konstrukcji Jigarbovem – gwiazdą YouTube'a i twórcą Marketplace, aby dowiedzieć się, jak zaczął przygodę z tym budulcem.

CO UDAŁO CI SIĘ STWORZYĆ Z UŻYCIEM CZERWONEGO KAMIENIA?

ITEMS BY JIGARBOV PRODUCTIONS

SEE FULL CATALOG

Dzięki nauce mechanizmów działania czerwonego kamienia stworzyłem masę interaktywnych projektów, gier, łamigłówek i map. Na Minecraft Marketplace można nawet przejść do bloków komend i kodowania i robić to profesjonalnie!

CO NAJBARDZIEJ PODOBA CI SIĘ W CZERWONYM KAMIENIU?

Najbardziej lubię to, że czerwony kamień działa zgodnie z logicznymi zasadami: gdy zrobisz to, wydarzy się tamto. Przejście od takiej logiki do kodowania jest zaskakująco proste – różnica jest taka, że zamiast rozsypywać pył i umieszczać pochodnie, zapisujesz to w formie kodu.

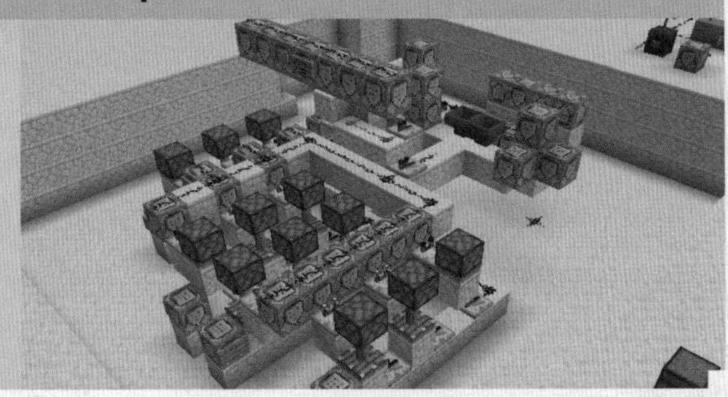

NA JAKI KOLEJNY CZERWONY ELEMENT CZEKASZ NAJBARDZIEJ?

Każdy nowy element jest ekscytujący – na przykład skulkowy czujnik, który zapewnia wcześniej nieobsługiwane własności, takie jak bezprzewodowe przesyłanie sygnałów.

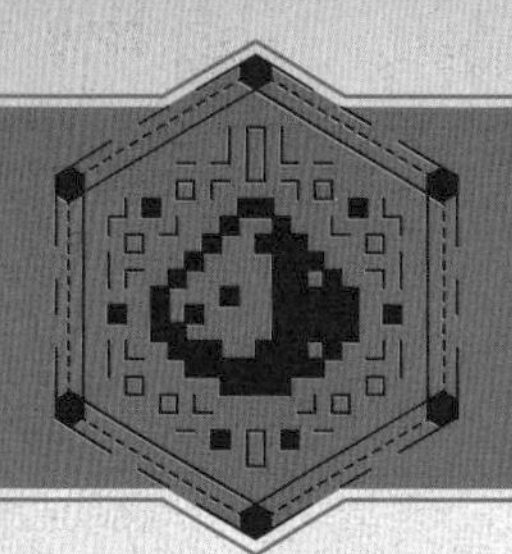

BLOKI, KTÓRE MUSISZ ZNAĆ

PRZEKAŹNIK

Kontroluje on przepływ sygnału i przywraca mu maksymalną siłę. Wysyła go tylko w jedną stronę, wskazywaną przez strzałkę na jego górnej powierzchni. Gdy od innego przekaźnika otrzyma sygnał z boku, nada elementowi wyjściowemu status włączonego lub wyłączonego. Można modyfikować przekaźniki, aby opóźnić sygnał – im bardziej oddalone minipochodnie, tym większe opóźnienie.

TŁOK

Gdy tłok otrzyma czerwony sygnał, wysunie głowicę w stronę bloku, przed którym się znajduje, przesuwając go. Przepchnie do dwunastu bloków ustawionych obok siebie, włącznie z połączonymi szlamem lub miodem. Niektóre bloki są odporne na jego działanie, na przykład magnetyt, a inne wskutek jego użycia ulegają zniszczeniu – między innymi dynie.

LEPKI TŁOK

Głowicę lepkiego tłoka pokrywa szlam, dzięki czemu przyciągnie on większość tłoków podatnych na przesuwanie. Świetnie sprawdzi się w pomysłowych konstrukcjach, takich jak na przykład zwodzony most nad fosą z lawą!

LEJ

Zapewnia on precyzyjny sposób przemieszczania elementów; możesz dzięki niemu manipulować przedmiotami w przestrzeni magazynującej. Jego ujście można skierować w bok lub w dół, zależnie od tego, gdzie chcesz wysłać rzeczy, a górny otwór gromadzi przedmioty rozmieszczone w pobliżu, ale może też pobierać je z przestrzeni magazynującej i przekazywać bezpośrednio do innej skrzyni.

Na co komu czerwony sygnał, który nic nie robi...? Cóż, właśnie po to mamy grupę przydatnych bloków! Każdy w jakiś sposób manipuluje sygnałami, przedmiotami lub blokami i można go wykorzystać jako ostatnie ogniwo konstrukcji lub kolejny tryb w genialnej maszynie.

PODAJNIK

Podajniki są wyposażone w magazynujące sloty, a pod wpływem sygnału wysłanego z dowolnego kierunku – uwolnią po 1 bloku. Umieszcza się je tak, aby ścianę ich wyjścia skierować w jednym z sześciu kierunków. Jeśli w ich przestrzeni znajduje się więcej niż jeden rodzaj przedmiotu, losowo wybiorą uwalniany element. Podajniki nie aktywują przedmiotów.

DOZOWNIK

Gdy dozownik otrzyma czerwony sygnał, uwolni przedmiot z przestrzeni magazynującej – tak jak podajnik, tylko jeden, więc jeśli chcesz pozyskać ich więcej, musisz umieścić go w obwodzie aktywowanym raz po raz. Dozownik aktywuje efekty niektórych uwalnianych przedmiotów – strzały, jajka i śnieżki wystrzeli jak pociski, zbroję umieści na znajdującym się w pobliżu graczu lub mobie, a TNT i fajerwerki detonuje!

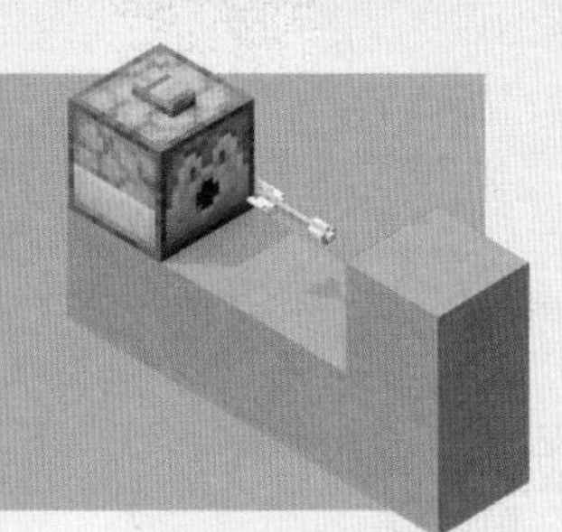

KOMPARATOR

Te wielofunkcyjne bloki wysyłają czerwony sygnał w jednym kierunku jak przekaźniki. Mogą też kontrolować przestrzeń magazynującą i wysyłać sygnał o zmiennej sile w zależności od stopnia jej zapełnienia. Mają dwa główne tryby – porównywania i odejmowania.

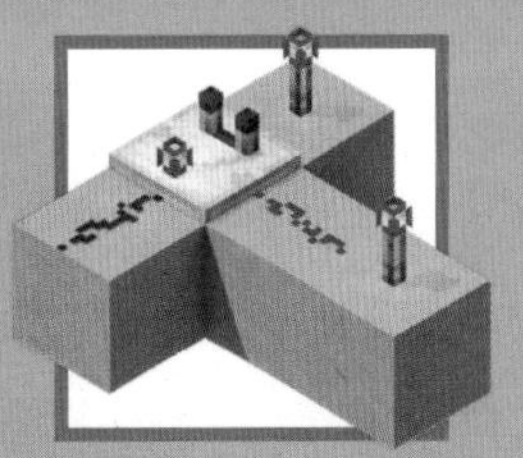

W trybie odejmowania najsilniejszy sygnał boczny jest odejmowany od tego, który dociera do bloku z tyłu. Jeśli więc najsilniejszy sygnał boczny ma wartość 3, a z tyłu dociera do bloku sygnał o sile 10, to wyjściowy będzie miał moc 7. Jeśli sygnał boczny jest większy od tylnego, nic się nie wydarzy.

W trybie porównywania przednia minipochodnia jest zgaszona, a komparator porównuje siłę sygnałów docierających z boku z sygnałem tylnym. Jeśli tylny będzie miał wartość większą od obu bocznych, sygnał zostanie wysłany przez przednią ścianę – inaczej nic się nie wydarzy.

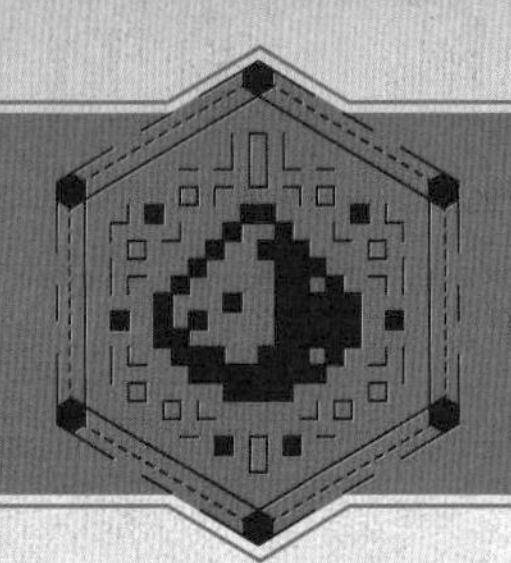

CZERWONE TORY

TORY ZWYKŁE

Z torów zwykłych – w połączeniu z ich wariantami opartymi na czerwonym kamieniu – tworzy się trasy dla wagoników. Podczas układania łączą się w podobny sposób jak pył. Zrobisz z nich zakręty, skrzyżowania, rozjazdy i rampy. Rozjazdy i skrzyżowania można kontrolować źródłem zasilania zmieniającym kierunek jazdy.

TORY ZASILANE

Jeśli chcesz zwiększyć prędkość jazdy wagoników, użyj torów zasilanych, aktywowanych torami z czujnikiem lub innym źródłem mocy. Czerwony kamień sprawi, że wagoniki podjadą pod górę – możesz nawet tworzyć własne atrakcje, na przykład kolejkę górską!

TORY Z CZUJNIKIEM

To jedyne źródło zasilania z użyciem torów. Aktywuje zarówno tory o działaniu opartym na czerwonym kamieniu, jak i inne czerwone elementy. Gdy przejedzie po nich wagonik, wytworzą maksymalny sygnał. Umieszczony obok nich komparator wyśle zmienny sygnał do przejeżdżających obok wagoników z lejami i skrzyniami, w zależności od ich zapełnienia.

Kto powiedział, że czerwone elementy muszą stać w miejscu? Używając torów, wprawisz swoje konstrukcje w ruch, co otworzy przed tobą zupełnie nowy świat funkcji i możliwości! Przyjrzyjmy się, jak zmienić zwykłe tory w niesamowite cuda techniki...

TORY AKTYWACYJNE

Jeśli po zasilanych torach aktywacyjnych przejedzie zwykły wagonik, wagonik z TNT lub wagonik z lejem, spowoduje to usunięcie z wagonika graczy lub mobów. TNT wybuchnie, a lej przestanie pobierać przedmioty – i odwrotnie: gdy wagonik z lejem przejedzie po niezasilonych torach aktywacyjnych, zacznie ponownie gromadzić obiekty.

WAGONIKI

Masz już świetne tory zasilane czerwonym kamieniem... ale co z nimi zrobisz? Oto różne rodzaje wagoników, które możesz na nich umieszczać:

WAGONIK

Pomieści jednego gracza lub moba i nie posiada żadnej specjalnej funkcji – poza uruchamianiem torów aktywacyjnych.

WAGONIK ZE SKRZYNIĄ

Wagonik ze skrzynią mieści tyle samo zawartości, co zwykła skrzynia. Im więcej rzeczy, tym szybciej będzie zwalniał.

WAGONIK NAPĘDZANY

Działa jak lokomotywa – jeśli dorzucisz do pieca paliwa będzie jechał po torach nawet bez wsparcia czerwonego kamienia.

WAGONIK Z LEJEM

Będzie on gromadził znajdujące się w pobliżu przedmioty lub wydobywał je z bloków, pod którymi przejedzie.

WAGONIK Z TNT

Tego, uruchamianego szynami aktywacyjnymi, wagonika używa się w górnictwie. Eksploduje, wchodząc za szybko w zakręt.

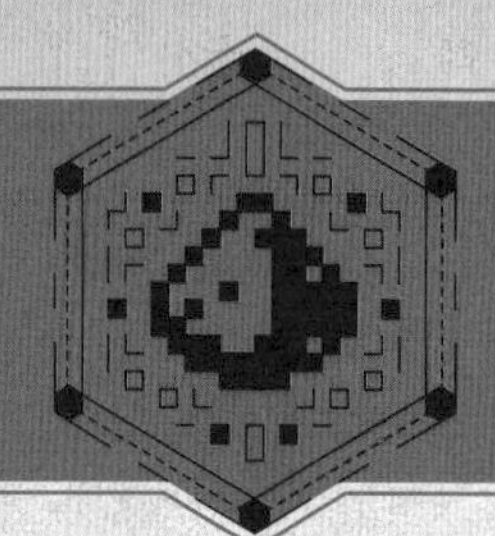

PRZYDATNE BLOKI

GLAZUROWANA TERAKOTA

To bardzo przydatny blok. Wzory na jego powierzchni pozwalają na oddzielenie poszczególnych mechanizmów w jednej konstrukcji. Można go popychać zwykłymi tłokami, ale lepkie go nie przyciągną.

BLOK SZLAMU

Lepkość bloku szlamu można wykorzystać, łącząc go z tłokami i lepkimi tłokami, aby popychać bloki, które nie znajdują się bezpośrednio przed głowicą tłoka – o ile jest ich nie więcej niż 12. Większość mobów odbije się od bloków szlamu, ale przedmioty – nie.

BLOK MIODU

Tak jak bloki szlamu bloki miodu będą próbowały przesunąć sąsiednie bloki, gdy zostaną popchnięte przez tłok – ale przedmioty, gracze i moby do nich przylgną, a ich ruchy zostaną spowolnione.

TNT

Wykorzystywane w wielu konstrukcjach TNT to wybuchowy blok, uruchamiany zarówno czerwonym kamieniem, jak i wieloma innymi czerwonymi blokami. Połączone z tłokami i szlamem, wystrzeli je z produkujących je urządzeń.

OBSYDIAN

Jeśli nie możesz wystrzelić TNT z dala od konstrukcji, obsydian to idealny blok, który ochroni jej najważniejsze części. To również jeden z najbardziej odpornych na eksplozję bloków w grze – wytrzyma między innymi wybuch TNT, ostrzał kulami ognia i ataki creeperów, a także napór strumieni wody i żar lawy. Gdy umieścisz go w jednym miejscu, nie da się go przesunąć.

Urządzeń nie buduje się tylko i wyłącznie z czerwonych bloków! Oprócz zwykłych bloków, tworząc mechanizmy oparte na czerwonym kamieniu, możesz używać pewnych specjalnych bloków, doskonale uzupełniających działanie czerwonych. Oto niektóre z nich.

PRADAWNE ZGLISZCZA

Zależy ci na trwałości obsydianu, ale chcesz, by blok dało się przemieszczać? Wybierz pradawne zgliszcza! W przeciwieństwie do obsydianu można je przesuwać tłokami i lepkimi tłokami, więc możesz mieć w swojej budowli elementy odporne, ale ruchome.

PÓŁBLOKI

Te bloki o wysokości połowy zwykłych, dostępne w ponad 50 wariantach, są przydatne przy tworzeniu kompaktowych pionowych konstrukcji. Zamiast usypywać spiralnie pył (zob. str. 32), ułóż z nich „drabinkę" w przestrzeni 1 × 2, aby zaoszczędzić na miejscu. Umieszczaj je w górnej połowie miejsca na blok.

RAMKI NA PRZEDMIOTY

Komparatory szacują zapełnienie przestrzeni przez różne przedmioty i tworzą zmienny sygnał. Poznasz ich działanie, używając tej ramki. Umieść ją na bloku przed komparatorem i wybierz siłę sygnału na podstawie orientacji przedmiotu w środku.

BLOKI DŹWIĘKOWE

Z bloków dźwiękowych można tworzyć alarmy, a ułożone w ciągu wygrywają nawet melodie! Klikając na blok możesz zmieniać wysokość dźwięku i wybrać instrument: od fletu, aż po didgeridoo. Podmień tylko blok, na którym umieszczono blok dźwiękowy.

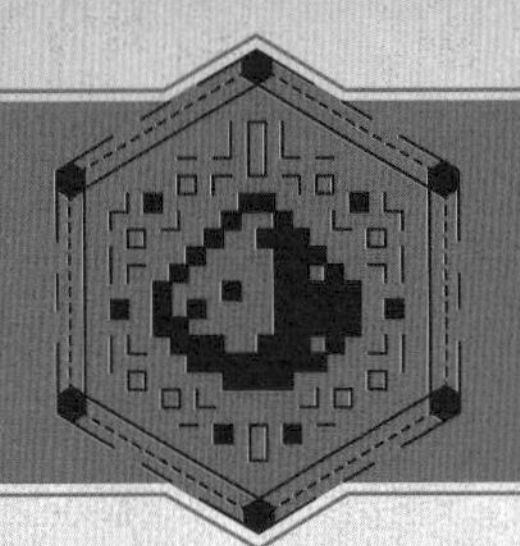

ROZWIĄZYWANIE PROBLEMÓW

BĄDŹ KREATYWNY

Przystępując po raz pierwszy do pracy z czerwonymi blokami, zrób to w trybie kreatywnym – nie będziesz musiał się wtedy martwić mobami, paskiem życia czy głodu ani odstraszaniem creeperów, chcących wysadzić twoje nieukończone obwody. Skupisz się tylko na czerwonym kamieniu.

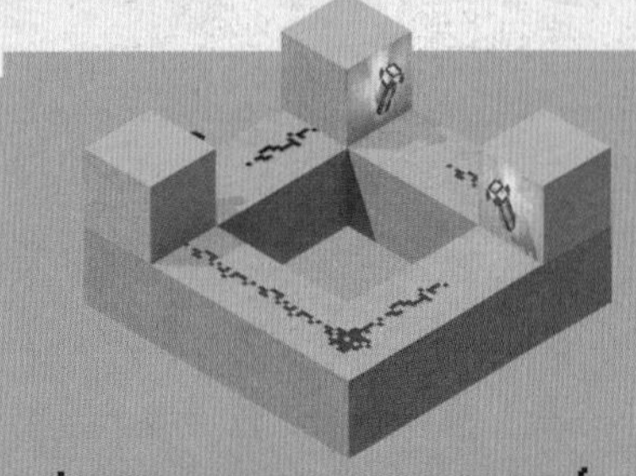

UŻYWAJ BARWNYCH BLOKÓW

Jeśli użyjesz w konstrukcji prostych bloków, na przykład terakoty, jej elementy będą się ładnie wyróżniały. Tworząc bardziej skomplikowane dzieła, możesz oddzielać ich części terakotą w różnych kolorach – dzięki temu zauważysz ewentualne błędy.

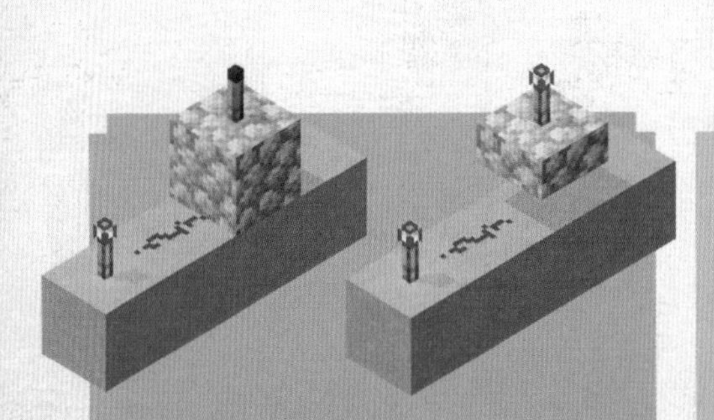

NIEPRZEZROCZYSTE

Sygnał przechodzi przez wiele niepełnych i przejrzystych bloków, ale łatwiej jest używać do jego przesyłania litych, nieprzezroczystych bloków.
To najbezpieczniejsze – niezależnie od tego, czy chcesz przesłać sygnał z przycisku, czy rozsypać pył.
Bloki niepełne to dobre rozwiązanie, gdy chcesz oszczędzić na miejscu.

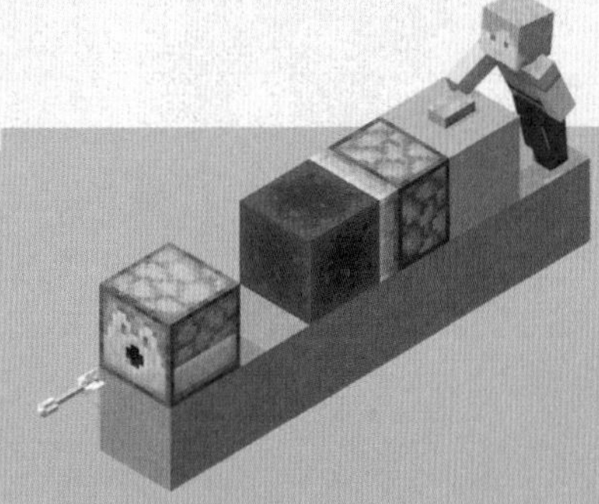

TESTUJ REGULARNIE

Pamiętaj, żeby co jakiś czas sprawdzać, czy wszystko działa – może się okazać, że wciśniesz przycisk... i nic się nie wydarzy! Zanim przejdziesz do następnego etapu, poświęć chwilę na upewnienie się, że został uzyskany odpowiedni efekt. To o wiele mniej frustrujące niż fakt, że cała twoja praca poszła na marne.

Używanie czerwonego kamienia może nastręczać problemów. Nie martw się jednak – nawet najwprawniejsi budowniczowie napotykają przeszkody! Te wskazówki pomogą ci uporać się z kłopotami i opanować trudną sztukę tworzenia czerwonych mechanizmów.

ZRÓB, A POTEM ULEPSZ

Niektórzy chcą sprawić, aby ich czerwone konstrukcje były jak najmniejsze, najszybsze lub działały bezszelestnie. Chociaż fajnie jest uzyskać pożądany efekt, to skup się na tym, aby twoje mechanizmy działały. Gdy zyskasz pewność, że wszystko jest, jak należy, możesz się zastanowić, co można jeszcze zmienić lub co zadziałałoby skuteczniej, gdyby zastosować inne rozwiązania.

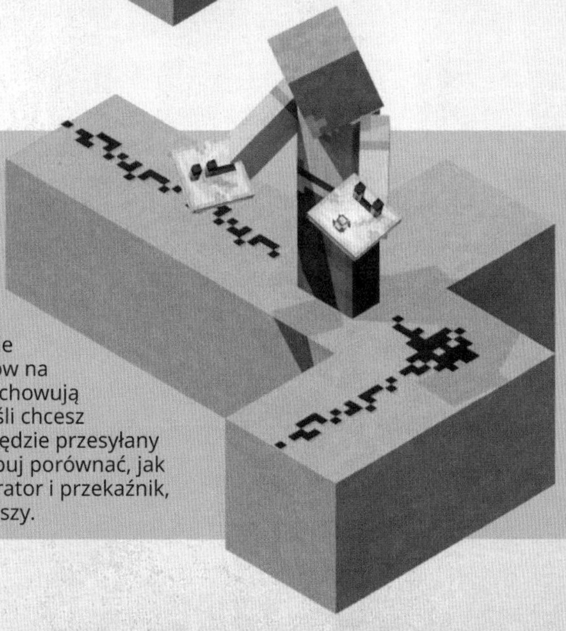

ZASTĘPOWANIE BLOKÓW

Oferta czerwonych narzędzi jest olbrzymia, a ich interakcje bywają trudne. Może ci się wydawać, że wiesz, jak ma działać twój mechanizm, ale nie bój się zamieniać bloków na inne, żeby zobaczyć, jak zachowują się w różnych układach. Jeśli chcesz mieć pewność, że sygnał będzie przesyłany tylko w jedną stronę, spróbuj porównać, jak wpływają na niego komparator i przekaźnik, i sprawdź, który będzie lepszy.

2

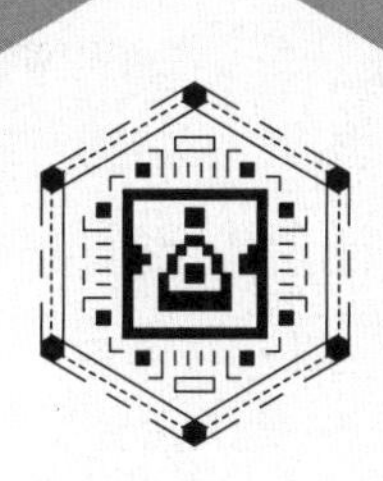

JAK TO DZIAŁA?

Teraz, gdy poznałeś już podstawy i wypełniłeś ekwipunek czerwonymi blokami, nadeszła pora sprawdzić, jak można je połączyć, aby tworzyć niesamowite rzeczy. W tej części poznasz różne obwody i dowiesz się, jak je łączyć, aby budować proste konstrukcje... a następnie przejść do większych, niesamowitych budowli!

PRZEPISY Z CZERWONYM KAMIENIEM

ODWRÓCONY SYGNAŁ

Umieść czerwoną pochodnię na przedniej ścianie bloku, a odwrócisz sygnał docierający do jego tylnej ściany. W ten sposób pochodnia będzie zasilana jedynie wtedy, gdy główne źródło zasilania jest wyłączone. To przydatne, gdy chcesz zmienić działanie dźwigni, przycisku lub płyty naciskowej.

INWERSJA PIONOWA

Możesz również odwrócić sygnał w pionie, układając na przemian czerwone pochodnie i lite bloki. Działa to dokładnie tak, jak opisano wyżej, ale sygnał wędruje w górę. Jedynym problemem jest to, że musisz użyć nieparzystej liczby pochodni, aby odwrócić sygnał.

TŁOK ZE SZLAMEM

To nie jest lepki tłok, tylko zwykły tłok połączony z blokiem szlamu. Inaczej niż lepki tłok, zamiast tylko pchać i przyciągać blok umieszczony przed nim, blok szlamu dołączony do tłoka pozwoli ci pchać i przyciągać bloki dodane do wszystkich pięciu odsłoniętych ścian. W ten sam sposób możesz wykorzystać blok miodu.

Zanim poznamy różne obwody, warto przyjrzeć się kilku przydatnym kombinacjom, które znajdziesz w niektórych z budowli opisanych w tej książce. Możesz je później wykorzystać również w innych obwodach i urządzeniach, które sam stworzysz!

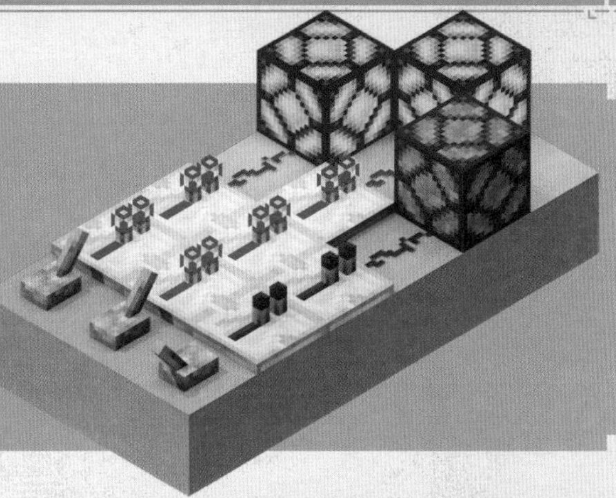

KONTROLA PRZEPŁYWU

Oprócz tego, że są w stanie zwiększać siłę czerwonego sygnału, przekaźniki świetnie nadają się do kontrolowania działania obwodów. Pobierają one sygnał z bloku, który znajduje się obok nich i przepuszczają go tylko przez przednią ścianę, dzięki czemu możesz prowadzić obwody obok siebie.

OBWODY PÓŁBLOKOWE

Półbloki to unikalne narzędzie, bo są wielkości połowy bloku, a mimo to nadal można na nich rozsypywać czerwony pył. Są bardzo przydatne do kontrolowania przepływu czerwonego zasilania w pionie, bo będą kierowały sygnał w górę, ale nie w dół – podobnie jak przekaźniki kontrolujące przepływ mocy w poziomie.

POMIAR ZAWARTOŚCI

Główne funkcje komparatora to odejmowanie i porównywanie sygnałów, ale może on również mierzyć zawartość bloków i wytwarzać odpowiedni sygnał. Może oceniać zapełnienie bloków magazynujących, takich jak skrzynia czy dozownik, ale i ul, pszczele gniazdo, ciasto, kocioł, kompostownik, blok poleceń, rama portalu Endu, ramka na przedmiot, szafa grająca, pulpit, kotwica odrodzenia lub skulkowy czujnik.

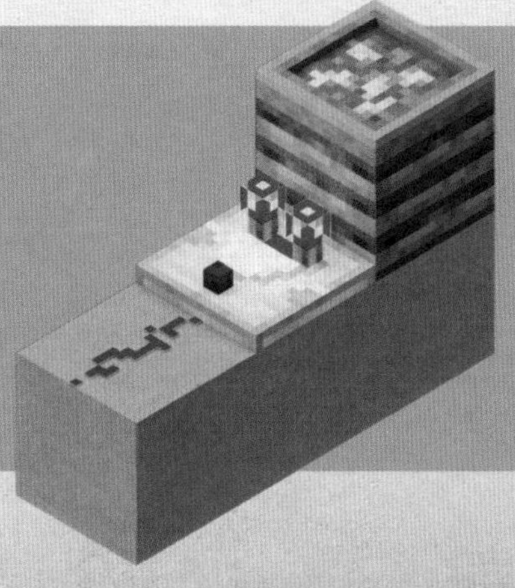

PRZESYŁANIE PIONOWE

SCHODY

Ten pionowy obwód transmisyjny przesyła czerwony sygnał w górę lub w dół, ale może zajmować dużo miejsca – zwłaszcza jeśli musisz nim otoczyć inne elementy.

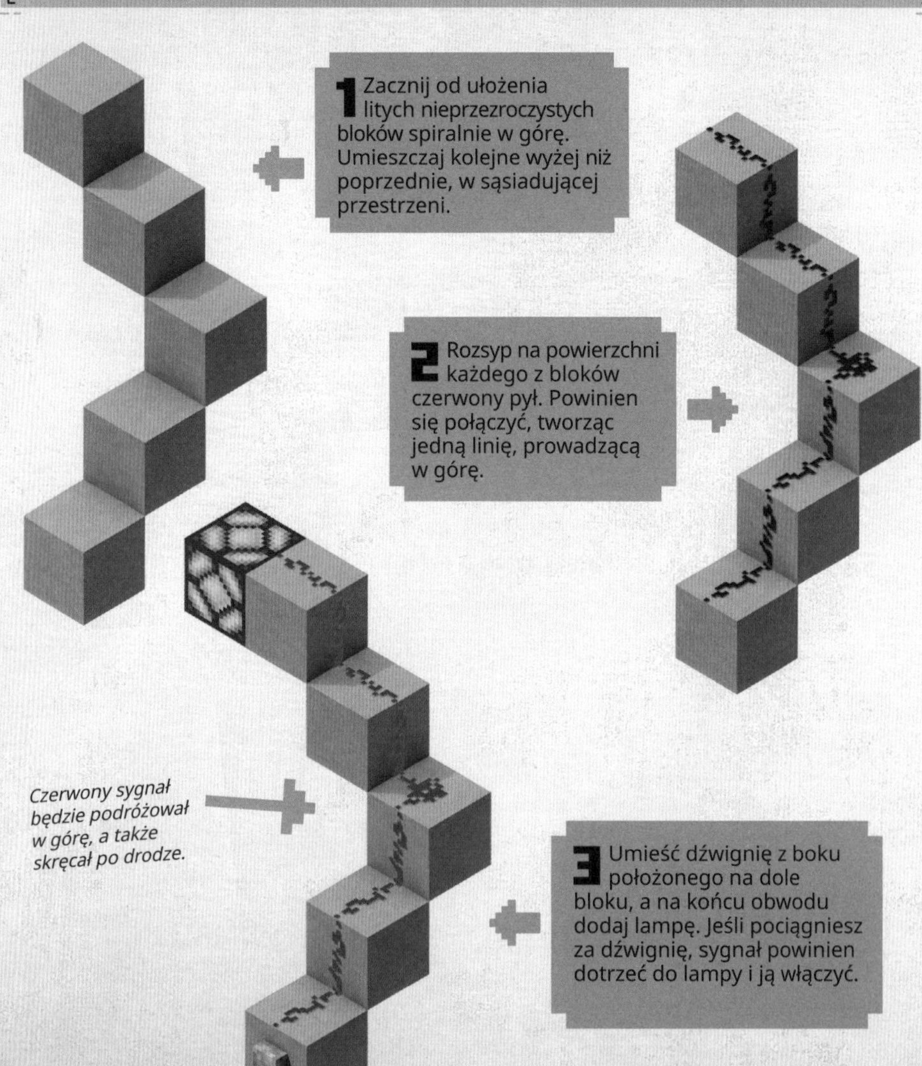

1 Zacznij od ułożenia litych nieprzezroczystych bloków spiralnie w górę. Umieszczaj kolejne wyżej niż poprzednie, w sąsiadującej przestrzeni.

2 Rozsyp na powierzchni każdego z bloków czerwony pył. Powinien się połączyć, tworząc jedną linię, prowadzącą w górę.

Czerwony sygnał będzie podróżował w górę, a także skręcał po drodze.

3 Umieść dźwignię z boku położonego na dole bloku, a na końcu obwodu dodaj lampę. Jeśli pociągniesz za dźwignię, sygnał powinien dotrzeć do lampy i ją włączyć.

Nadeszła pora, byś wykorzystał w praktyce przyswojoną wiedzę i zbudował swój pierwszy obwód. Zaczniemy od prostego obwodu transmisji pionowej, przesyłającego sygnał w górę, przydatnego do sterowania mechanizmami umieszczonymi wysoko nad lub pod przełącznikiem.

DRABINA

Ta wersja jest znacznie bardziej kompaktowa, wymaga jedynie przestrzeni 1 × 2 bloki, ale przesyła sygnał tylko w górę, a nie w dół.

1 Zbuduj dwie kolumny z dowolnych litych bloków, pozostawiając między nimi dwa bloki przerwy.

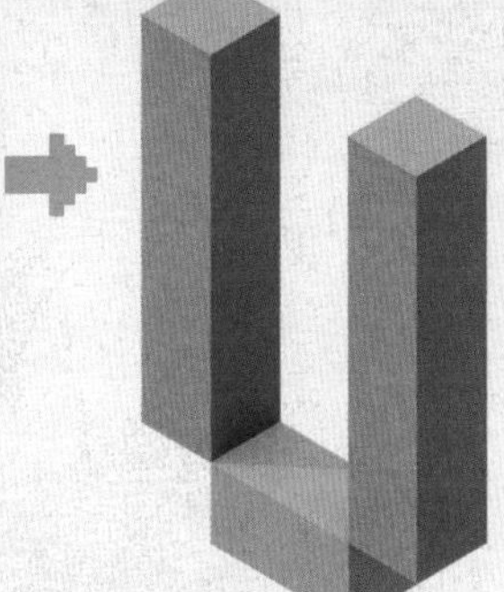

2 Obok dolnego bloku jednej z nich umieść półblok. Powinien się znajdować w górnej połowie tego bloku.

3 Powtórz ten krok dla drugiej kolumny, dodając blok w górnej części drugiego bloku. Powtarzaj czynność, aż osiągniesz pożądaną wysokość.

4 Usuń lite bloki (poza tym, do którego dodałeś pierwszy półblok). Rozsyp na półblokach pył. Zauważ, że nie utworzył przewodu.

5 Na litym bloku umieść dźwignię, a obok najwyższej płyty – lampę. Pociągnij za dźwignię, a sygnał powędruje po drabinie w górę i włączy lampę.

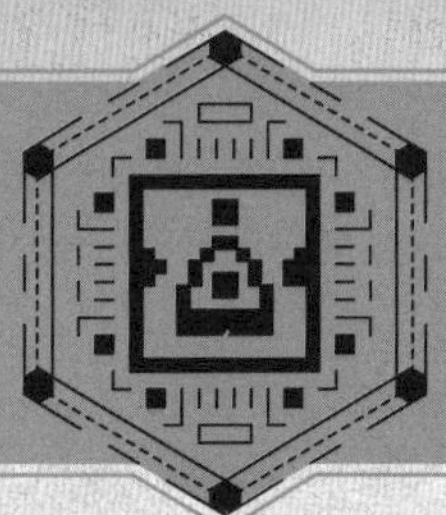

SYSTEM ALARMOWY

TRUDNOŚĆ:

30 minut

GŁÓWNE BLOKI

Co powiesz na wykorzystanie nowo nabytych umiejętności do stworzenia tego sprytnego mechanizmu? Ten system alarmowy wykorzystuje transmisję pionową z użyciem schodów oraz drabiny, informując cię o intruzach, a nawet próbując ich odstraszyć!

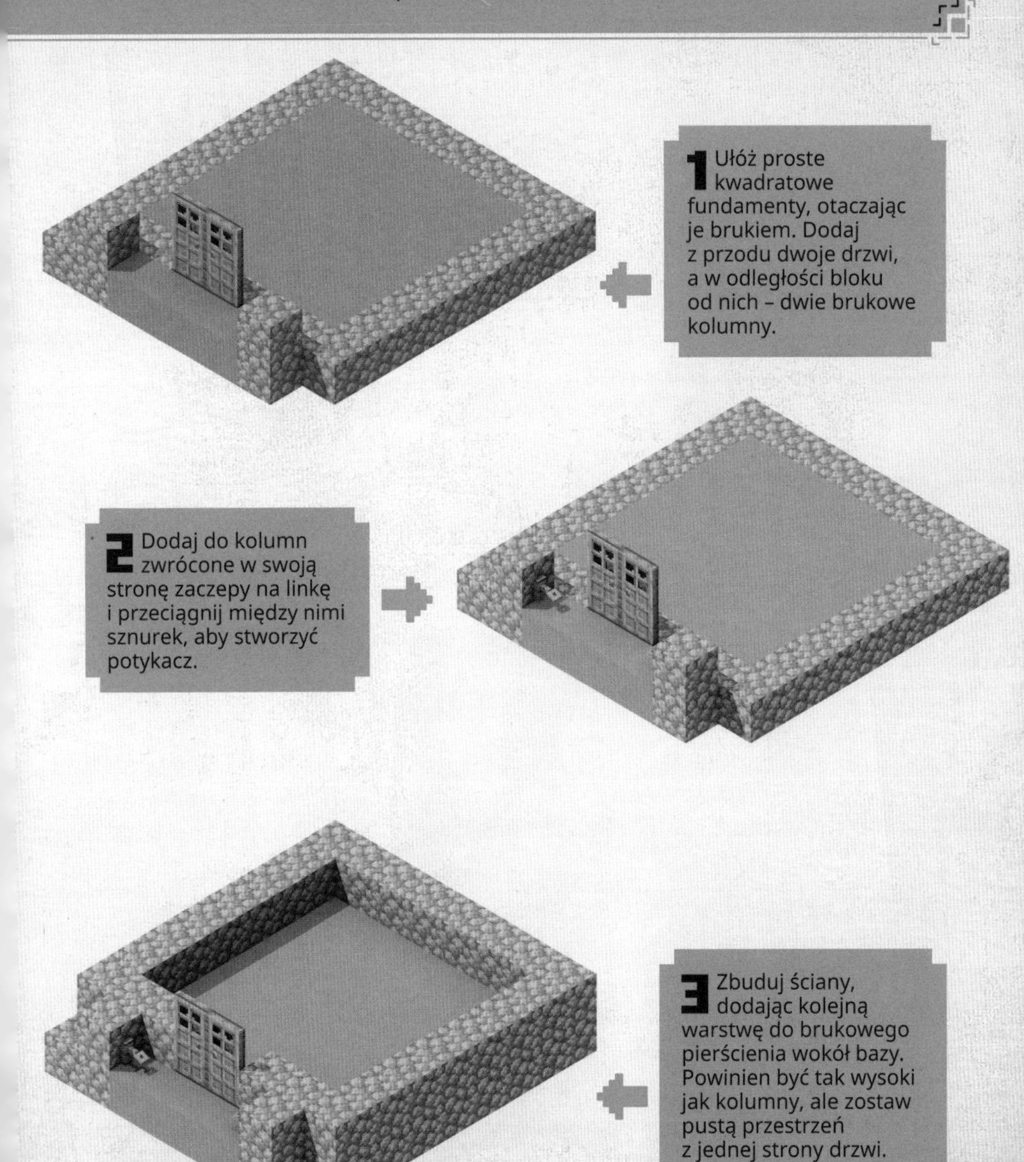

1 Ułóż proste kwadratowe fundamenty, otaczając je brukiem. Dodaj z przodu dwoje drzwi, a w odległości bloku od nich – dwie brukowe kolumny.

2 Dodaj do kolumn zwrócone w swoją stronę zaczepy na linkę i przeciągnij między nimi sznurek, aby stworzyć potykacz.

3 Zbuduj ściany, dodając kolejną warstwę do brukowego pierścienia wokół bazy. Powinien być tak wysoki jak kolumny, ale zostaw pustą przestrzeń z jednej strony drzwi.

4 Rozsyp na połowie brukowej ściany za lewym zaczepem czerwony pył, tak jak na rysunku.

5 Teraz pora na zbudowanie drabiny. Ustaw tymczasową ścianę z kilku bloków i dodawaj naprzemiennie półbloki do osiągnięcia pożądanej wysokości. Rozsyp na nich czerwony pył.

6 Ze szczytu drabiny poprowadź w stronę środka budynku rząd 4 litych bloków. Na pierwszym rozsyp pył, na drugim umieść przekaźnik, a na 2 kolejnych – bloki dźwiękowe. Przekaźnik wzmocni czerwony sygnał, dzięki czemu dotrze on do nich.

7 Teraz zamaskuj swój układ. Otocz budowlę ścianami, które ukryją twoją czerwoną drabinę i mechanizm na dachu. Obuduj wejście, tak aby uzyskać mroczną niszę.

8 Załaduj dozowniki strzałami. Teraz, gdy ktoś przejdzie przez potykacz, włączy się alarm na dachu, a intruz zostanie zasypany gradem strzał.

BRAMKI LOGICZNE

BRAMKA NOT

Pierwszą bramką logiczną, której się przyjrzymy, jest bramka NOT. Domyślnie czerwony komponent aktywuje się, gdy jego źródło zasilania jest włączone, ale jeśli dodasz między nimi bramkę NOT, komponent będzie aktywny przy odciętym zasilaniu i nieaktywny, gdy źródło zasilania będzie działać.

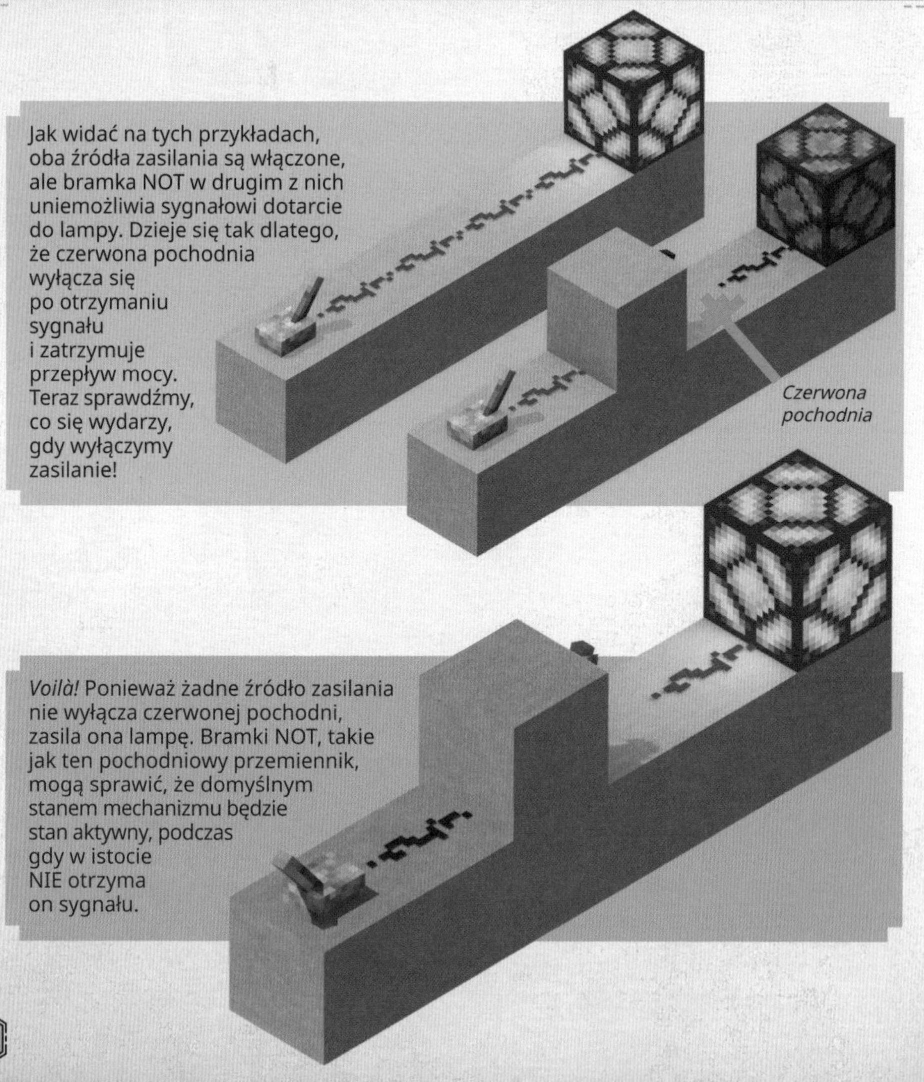

Jak widać na tych przykładach, oba źródła zasilania są włączone, ale bramka NOT w drugim z nich uniemożliwia sygnałowi dotarcie do lampy. Dzieje się tak dlatego, że czerwona pochodnia wyłącza się po otrzymaniu sygnału i zatrzymuje przepływ mocy. Teraz sprawdźmy, co się wydarzy, gdy wyłączymy zasilanie!

Voilà! Ponieważ żadne źródło zasilania nie wyłącza czerwonej pochodni, zasila ona lampę. Bramki NOT, takie jak ten pochodniowy przemiennik, mogą sprawić, że domyślnym stanem mechanizmu będzie stan aktywny, podczas gdy w istocie NIE otrzyma on sygnału.

Oprócz tych przesyłających sygnał w górę i w dół istnieją również obwody kontrolujące, CZY sygnał powinien zostać w ogóle wysłany. Bramki logiczne można ustawić tak, aby analizowały sygnały wejściowe i dawały sygnał wyjściowy, gdy spełnione zostaną pewne kryteria. Przyjrzyjmy się kilku z nich.

BRAMKA OR

Jeśli chcesz doprowadzić kilka obwodów do twojego czerwonego układu, masz parę możliwości. Użycie bramki OR spowoduje przesłanie sygnału, gdy choć jeden z obwodów będzie aktywny. Poniższy przykład wykorzystuje trzy różne obwody, przechodzące przez przekaźniki, które izolują sygnały.

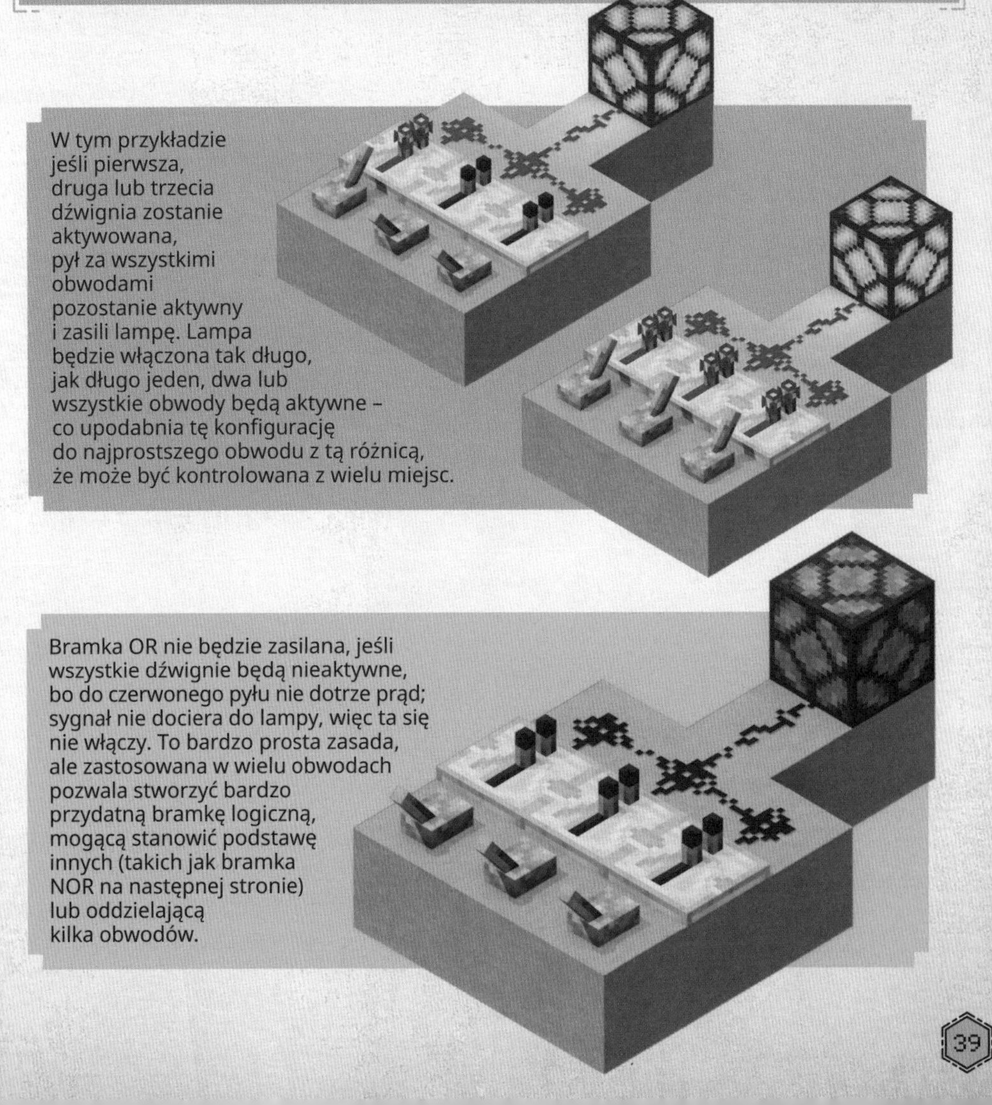

W tym przykładzie jeśli pierwsza, druga lub trzecia dźwignia zostanie aktywowana, pył za wszystkimi obwodami pozostanie aktywny i zasili lampę. Lampa będzie włączona tak długo, jak długo jeden, dwa lub wszystkie obwody będą aktywne – co upodabnia tę konfigurację do najprostszego obwodu z tą różnicą, że może być kontrolowana z wielu miejsc.

Bramka OR nie będzie zasilana, jeśli wszystkie dźwignie będą nieaktywne, bo do czerwonego pyłu nie dotrze prąd; sygnał nie dociera do lampy, więc ta się nie włączy. To bardzo prosta zasada, ale zastosowana w wielu obwodach pozwala stworzyć bardzo przydatną bramkę logiczną, mogącą stanowić podstawę innych (takich jak bramka NOR na następnej stronie) lub oddzielającą kilka obwodów.

BRAMKA NOR

Możemy połączyć bramkę NOT i bramkę OR, aby stworzyć bramkę logiczną, która przekaże sygnał tylko wtedy, gdy żaden z obwodów nie będzie aktywny. Gdy dodamy mechanizm pochodniowego przemiennika z bramki NOT do bramki OR, powstanie bramka NOR.

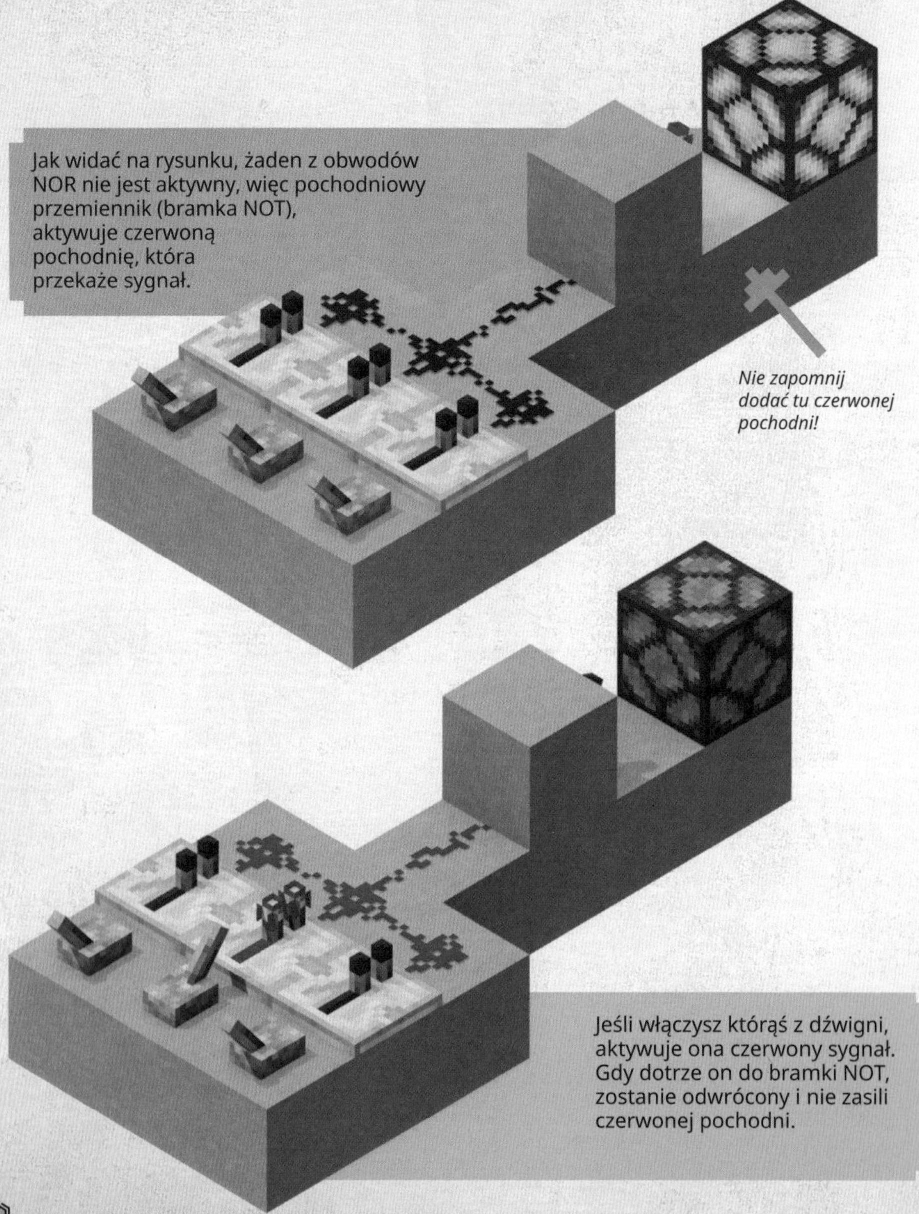

Jak widać na rysunku, żaden z obwodów NOR nie jest aktywny, więc pochodniowy przemiennik (bramka NOT), aktywuje czerwoną pochodnię, która przekaże sygnał.

Nie zapomnij dodać tu czerwonej pochodni!

Jeśli włączysz którąś z dźwigni, aktywuje ona czerwony sygnał. Gdy dotrze on do bramki NOT, zostanie odwrócony i nie zasili czerwonej pochodni.

BRAMKA AND

Istnieje również bramka AND, która przekaże sygnał tylko wtedy, gdy wszystkie obwody będą aktywne. Ten przykład pokazuje bramkę AND z dwoma różnymi obwodami poprowadzonymi do czerwonej pochodni. Jeśli oba wejścia będą nieaktywne, pochodnie będą włączone, zasilając czerwony pył i utrzymując ostatnią pochodnię w stanie nieaktywnym.

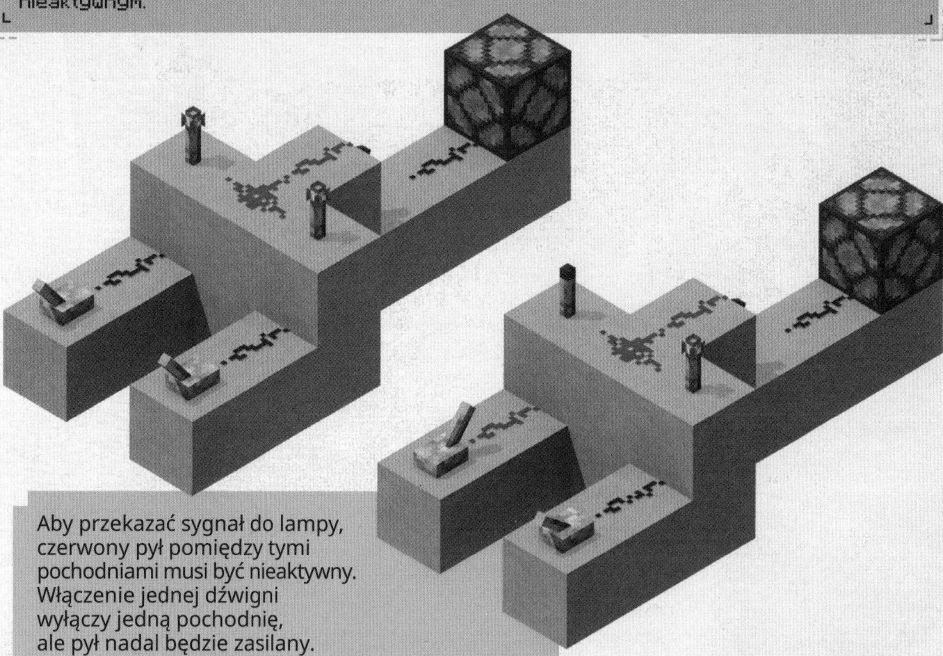

Aby przekazać sygnał do lampy, czerwony pył pomiędzy tymi pochodniami musi być nieaktywny. Włączenie jednej dźwigni wyłączy jedną pochodnię, ale pył nadal będzie zasilany.

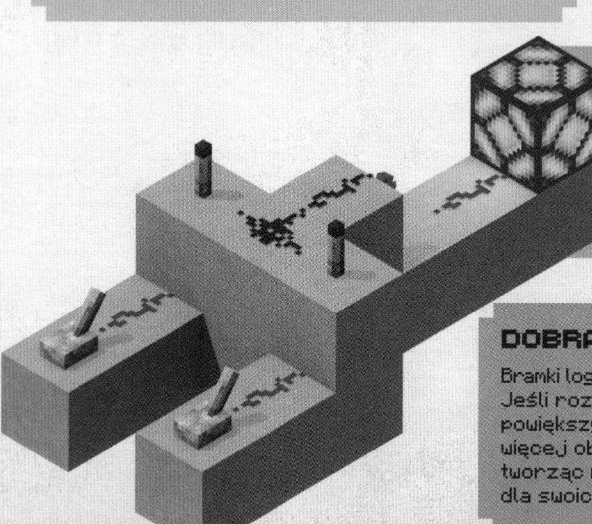

Nieaktywny drugi obwód uczyni nieaktywnymi obie pochodnie, jak również czerwony pył, który zasila ostatnią pochodnię i przekazuje sygnał w całym układzie.

DOBRA RADA

Bramki logiczne można łatwo rozbudować. Jeśli rozumiesz ich działanie, możesz powiększyć każdą z nich, aby dodać więcej obwodów, albo połączyć je, tworząc różne układy logiczne dla swoich urządzeń.

STRZELNICA

TRUDNOŚĆ:

35 minut

GŁÓWNE BLOKI

Z PRZODU

Z BOKU

Z GÓRY

Użyjemy bramki NOR, aby stworzyć świetną atrakcję, na której przetestujesz swoją celność, strzelając z łuku. Wykorzystanie bramki spowoduje, że trafienie w sam środek każdej z tarcz odpali fajerwerki. Ma się rozumieć, teoretycznie można trafić w jedną trzy razy, ale co to za zabawa?

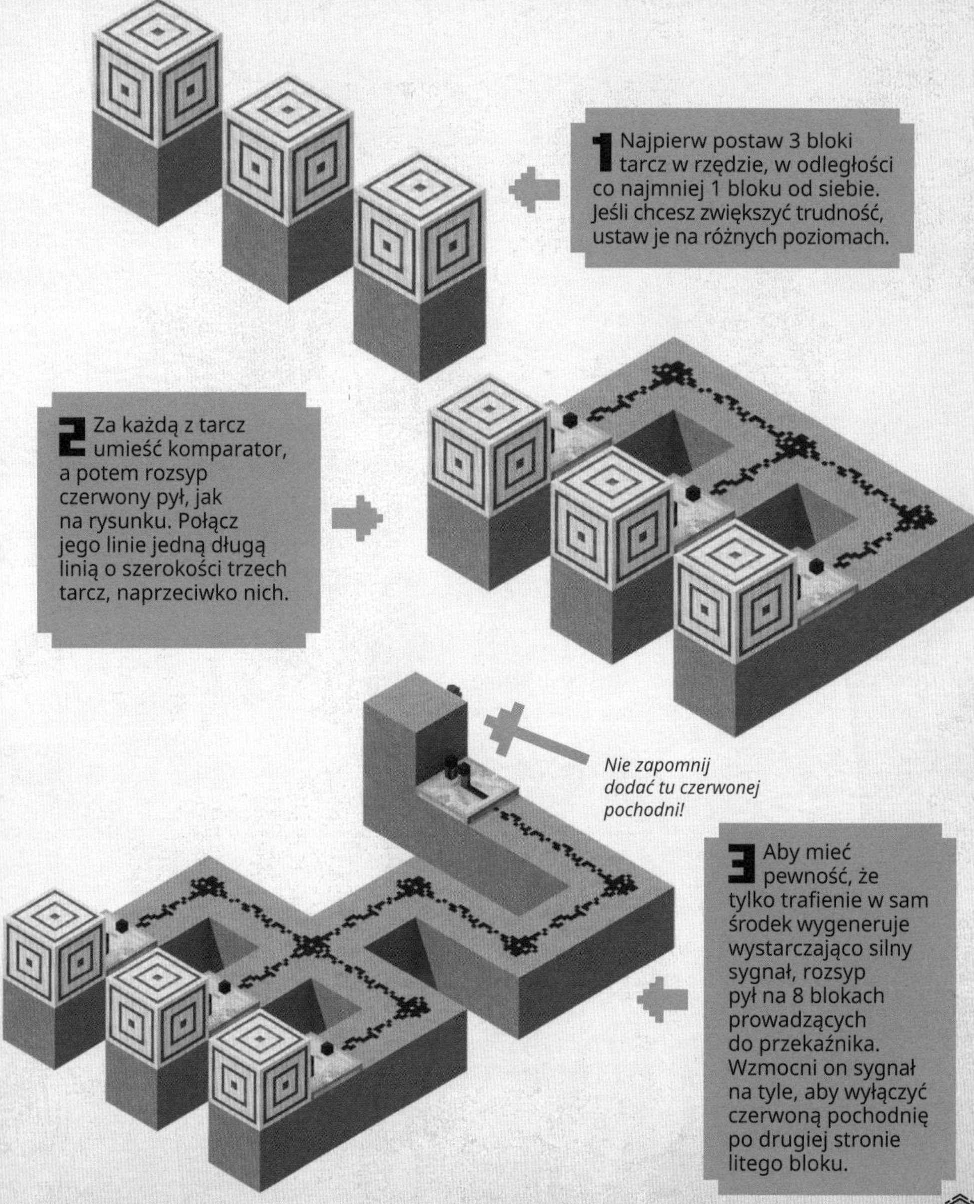

1 Najpierw postaw 3 bloki tarcz w rzędzie, w odległości co najmniej 1 bloku od siebie. Jeśli chcesz zwiększyć trudność, ustaw je na różnych poziomach.

2 Za każdą z tarcz umieść komparator, a potem rozsyp czerwony pył, jak na rysunku. Połącz jego linie jedną długą linią o szerokości trzech tarcz, naprzeciwko nich.

Nie zapomnij dodać tu czerwonej pochodni!

3 Aby mieć pewność, że tylko trafienie w sam środek wygeneruje wystarczająco silny sygnał, rozsyp pył na 8 blokach prowadzących do przekaźnika. Wzmocni on sygnał na tyle, aby wyłączyć czerwoną pochodnię po drugiej stronie litego bloku.

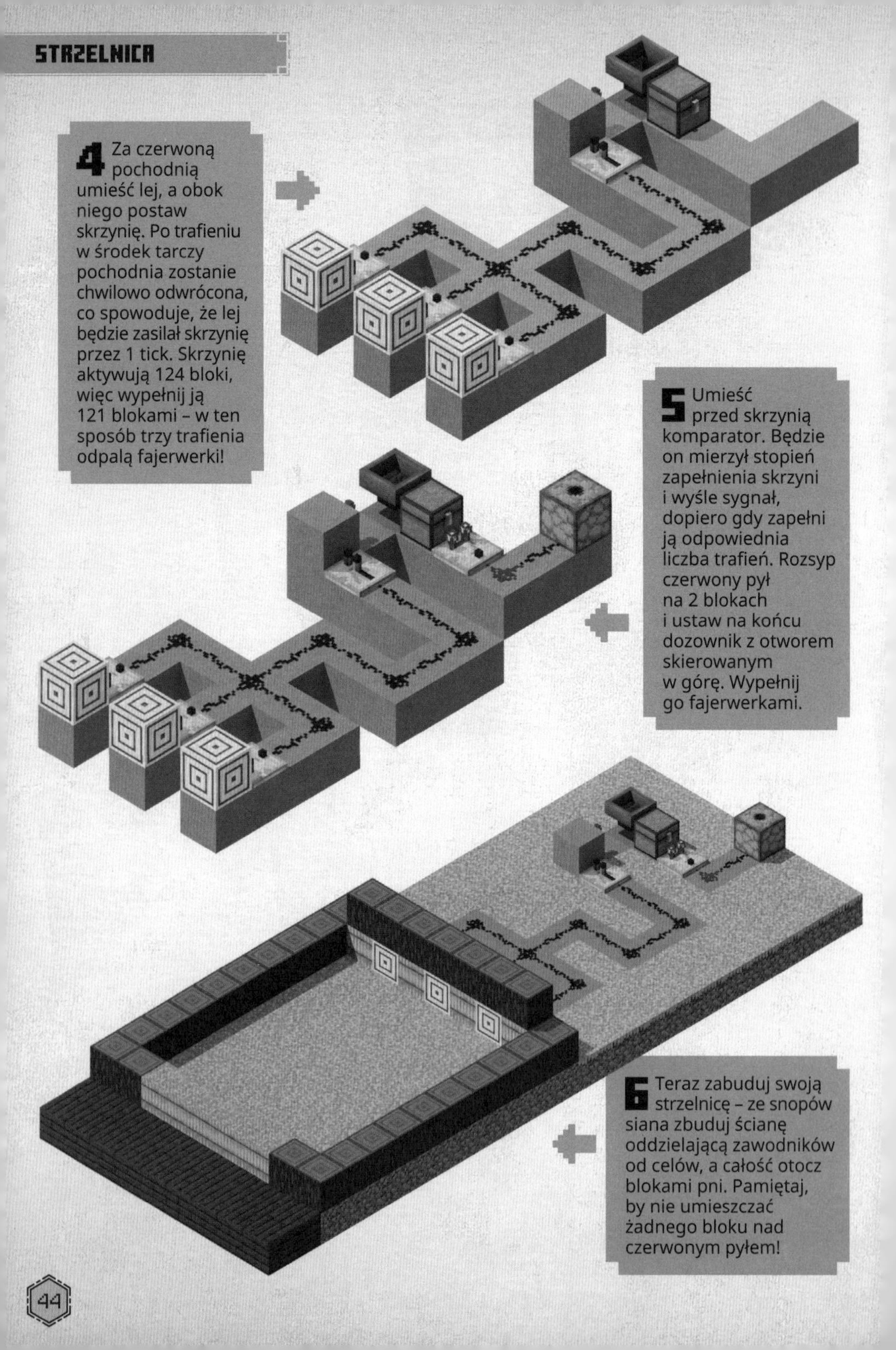

4 Za czerwoną pochodnią umieść lej, a obok niego postaw skrzynię. Po trafieniu w środek tarczy pochodnia zostanie chwilowo odwrócona, co spowoduje, że lej będzie zasilał skrzynię przez 1 tick. Skrzynię aktywują 124 bloki, więc wypełnij ją 121 blokami – w ten sposób trzy trafienia odpalą fajerwerki!

5 Umieść przed skrzynią komparator. Będzie on mierzył stopień zapełnienia skrzyni i wyśle sygnał, dopiero gdy zapełni ją odpowiednia liczba trafień. Rozsyp czerwony pył na 2 blokach i ustaw na końcu dozownik z otworem skierowanym w górę. Wypełnij go fajerwerkami.

6 Teraz zabuduj swoją strzelnicę – ze snopów siana zbuduj ścianę oddzielającą zawodników od celów, a całość otocz blokami pni. Pamiętaj, by nie umieszczać żadnego bloku nad czerwonym pyłem!

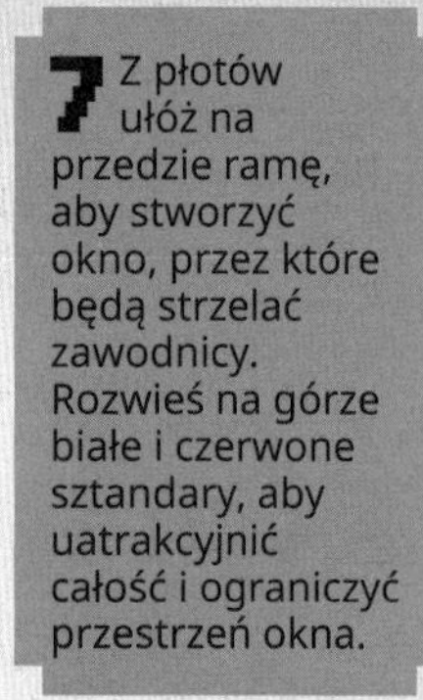

7 Z płotów ułóż na przedzie ramę, aby stworzyć okno, przez które będą strzelać zawodnicy. Rozwieś na górze białe i czerwone sztandary, aby uatrakcyjnić całość i ograniczyć przestrzeń okna.

8 Z przodu umieść skrzynię i wypełnij ją łukami oraz strzałami, tak aby gracze mieli dostęp do wszystkiego, czego potrzebują.

9 A teraz... do dzieła! Gdy trafisz trzy razy w środek tarczy, skrzynia się zapełni i wyśle sygnał zasilający dozownik, a ty będziesz podziwiać pokaz fajerwerków! Jeśli chcesz zwiększyć trudność, umieść w skrzyni mniej bloków, tak aby fajerwerki odpalała większa liczba trafień.

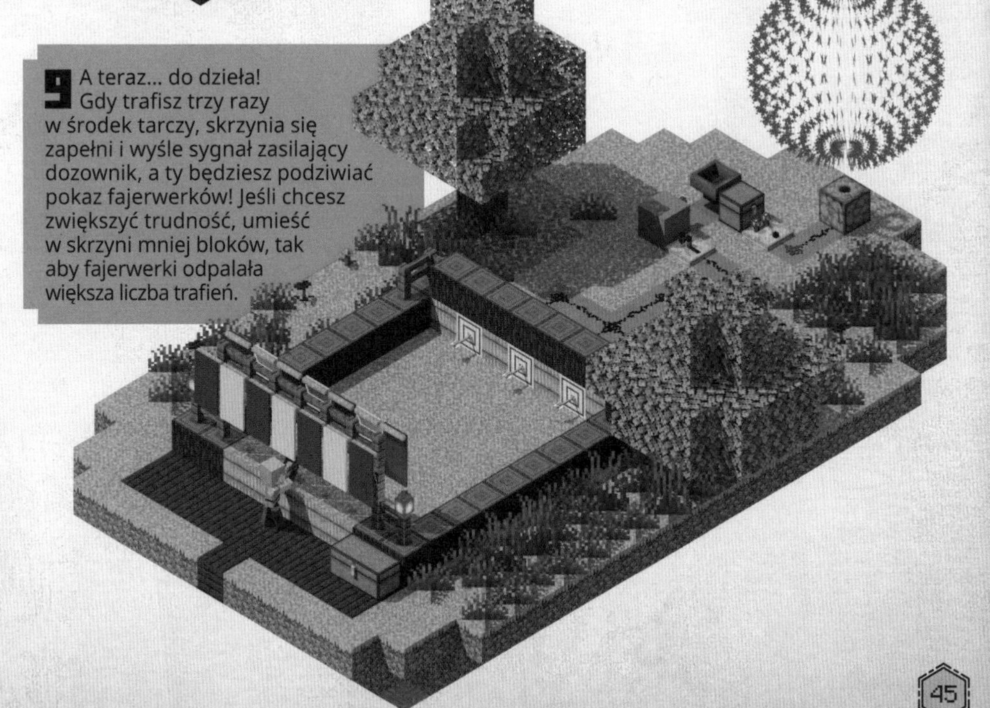

OBWODY IMPULSOWE

GENERATOR IMPULSU

Aby stworzyć sygnał impulsowy, potrzebujesz generatora. Najłatwiej stworzyć go, łącząc 3 przekaźniki z dźwignią i czerwonym pyłem. Gdy włączysz dźwignię, zasili 2 pierwsze przekaźniki. Pierwszy (ustawiony na 2 czerwone ticki) wyśle sygnał do pyłu, a drugi zablokuje trzeci, zatrzymując sygnał przy pyle. Gdy wyłączysz dźwignię, dwa pierwsze przekaźniki wyłączą się, odblokowując trzeci. Sygnał przepłynie wówczas i na krótko zapali lampę.

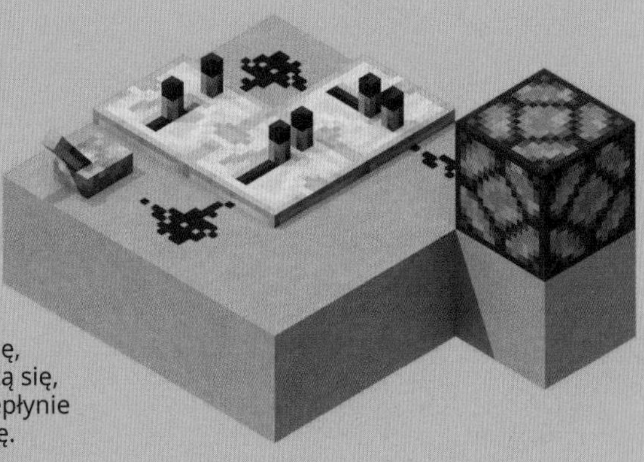

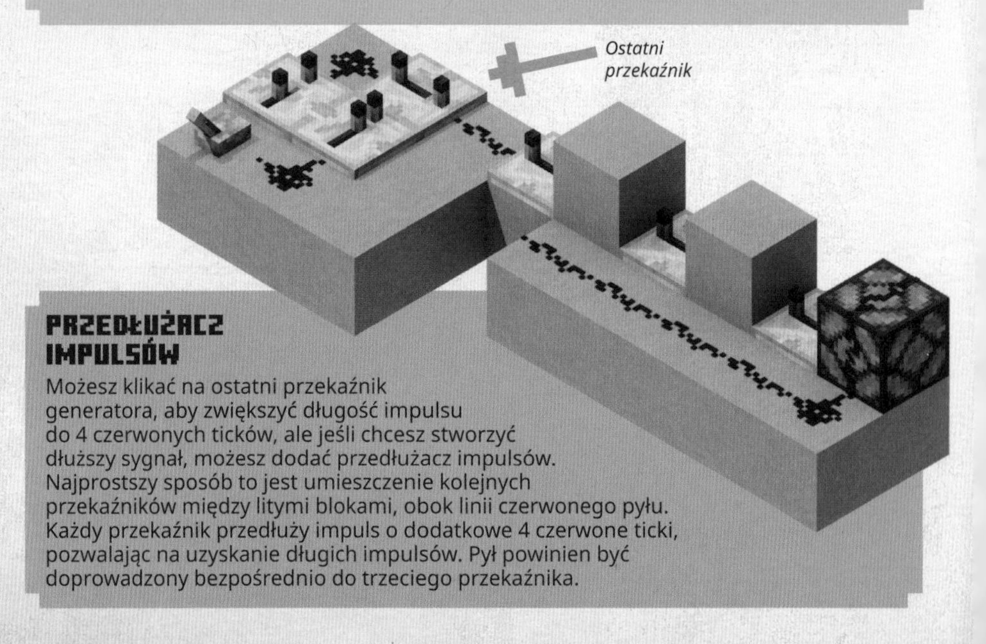

PRZEDŁUŻACZ IMPULSÓW

Możesz klikać na ostatni przekaźnik generatora, aby zwiększyć długość impulsu do 4 czerwonych ticków, ale jeśli chcesz stworzyć dłuższy sygnał, możesz dodać przedłużacz impulsów. Najprostszy sposób to jest umieszczenie kolejnych przekaźników między litymi blokami, obok linii czerwonego pyłu. Każdy przekaźnik przedłuży impuls o dodatkowe 4 czerwone ticki, pozwalając na uzyskanie długich impulsów. Pył powinien być doprowadzony bezpośrednio do trzeciego przekaźnika.

W Minecrafcie impulsy generują różne przedmioty, na przykład przyciski, ale obwody impulsowe pozwalają tworzyć sygnał zapewniając większą kontrolę nad jego zachowaniem. Przyjrzyjmy się teraz, jak stworzyć obwód impulsowy i jak dostosować jego sygnał.

OGRANICZNIK IMPULSÓW

Jeśli impuls jest za długi, możesz go skrócić, używając ogranicznika impulsów. Zacznij od stworzenia generatora, ale tym razem połącz go z ogranicznikiem zrobionym z tłoka i litych bloków. Kiedy impuls dotrze do bloku umieszczonego na samej górze, zasili przekaźnik na jeden tick – jak również tłok pod nim, który zablokuje impuls.

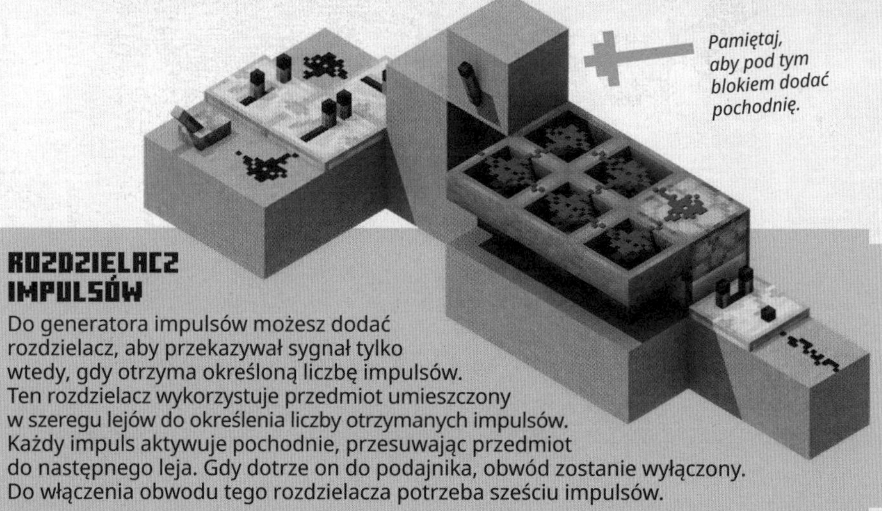

ROZDZIELACZ IMPULSÓW

Do generatora impulsów możesz dodać rozdzielacz, aby przekazywał sygnał tylko wtedy, gdy otrzyma określoną liczbę impulsów. Ten rozdzielacz wykorzystuje przedmiot umieszczony w szeregu lejów do określenia liczby otrzymanych impulsów. Każdy impuls aktywuje pochodnie, przesuwając przedmiot do następnego leja. Gdy dotrze on do podajnika, obwód zostanie wyłączony. Do włączenia obwodu tego rozdzielacza potrzeba sześciu impulsów.

CZY WIESZ, ŻE...?

Minecraft bazuje na zapętlonym procesie nazywanym tickiem. Czerwone ticki odpowiadają 2 tickom z gry, czyli trwają 0,1 sekundy. Generator impulsów tworzy impuls, który trwa 1 czerwony tick, więc przejdzie on przez każdy blok w ciągu 0,1 sekundy. Przedłużacze i ograniczniki umożliwiają przedłużanie i skracanie długości impulsów o wielokrotność ticków.

UKRYTE SCHODY

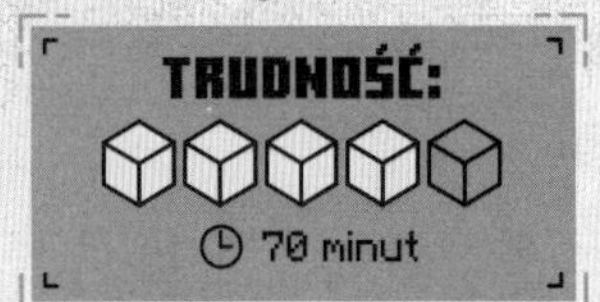

GŁÓWNE BLOKI

Z PRZODU

Z BOKU

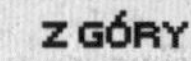

Z GÓRY

Obwody impulsowe świetnie nadają się do wprowadzania w Minecrafcie krótkotrwałych zmian – to idealny sygnał, na ukrywanie schodów dających dostęp do tajnego piętra. Postępuj zgodnie z poniższymi wskazówkami, aby stworzyć je w swojej bazie.

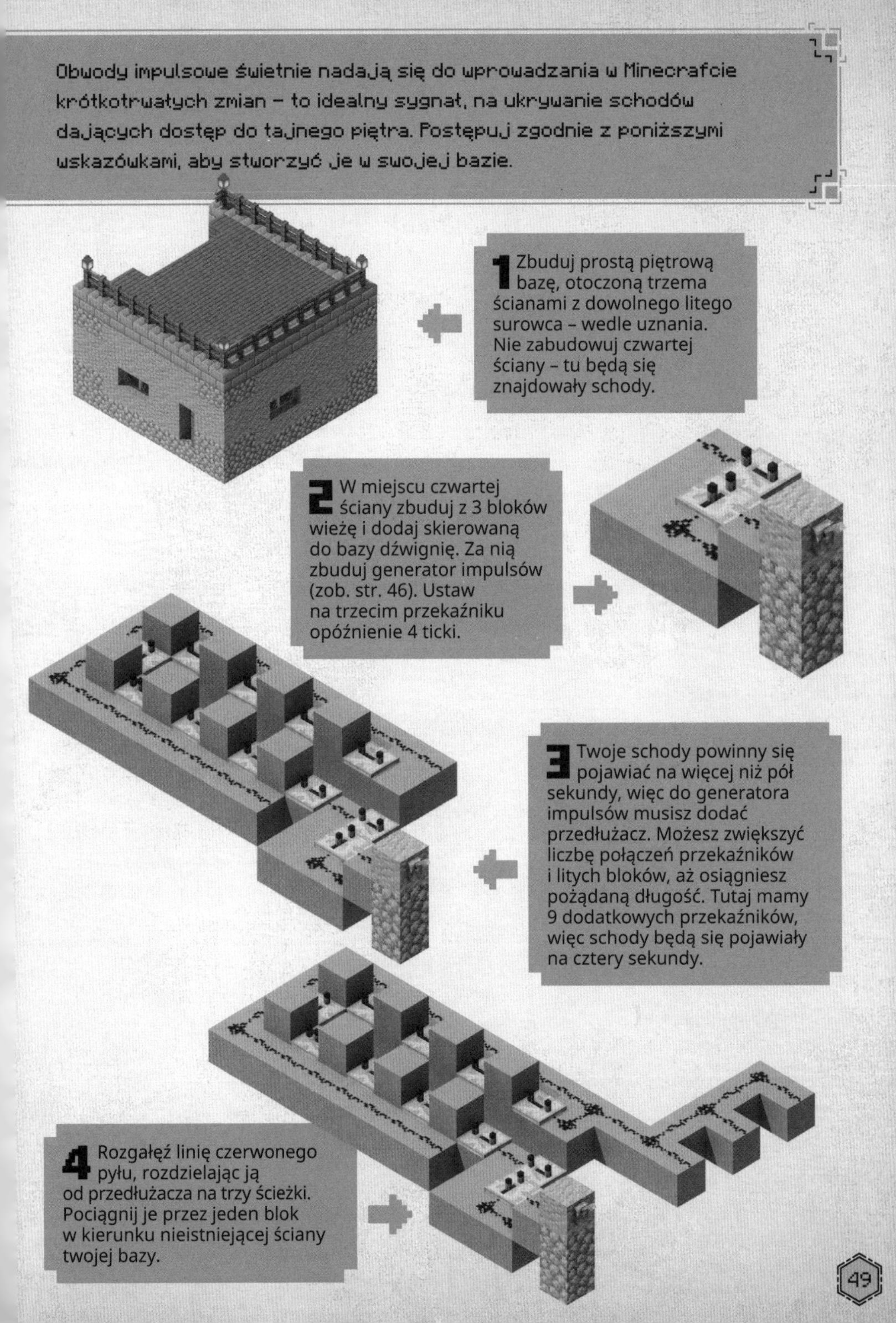

1 Zbuduj prostą piętrową bazę, otoczoną trzema ścianami z dowolnego litego surowca – wedle uznania. Nie zabudowuj czwartej ściany – tu będą się znajdowały schody.

2 W miejscu czwartej ściany zbuduj z 3 bloków wieżę i dodaj skierowaną do bazy dźwignię. Za nią zbuduj generator impulsów (zob. str. 46). Ustaw na trzecim przekaźniku opóźnienie 4 ticki.

3 Twoje schody powinny się pojawiać na więcej niż pół sekundy, więc do generatora impulsów musisz dodać przedłużacz. Możesz zwiększyć liczbę połączeń przekaźników i litych bloków, aż osiągniesz pożądaną długość. Tutaj mamy 9 dodatkowych przekaźników, więc schody będą się pojawiały na cztery sekundy.

4 Rozgałęź linię czerwonego pyłu, rozdzielając ją od przedłużacza na trzy ścieżki. Pociągnij je przez jeden blok w kierunku nieistniejącej ściany twojej bazy.

5 O 1 blok od miejsca, w którym znajdzie się twoja ściana, ustaw 3 kolumny z litych bloków. Muszą się różnić wielkością, tak aby każda kolejna była o 2 bloki wyższa – to będą twoje schody.

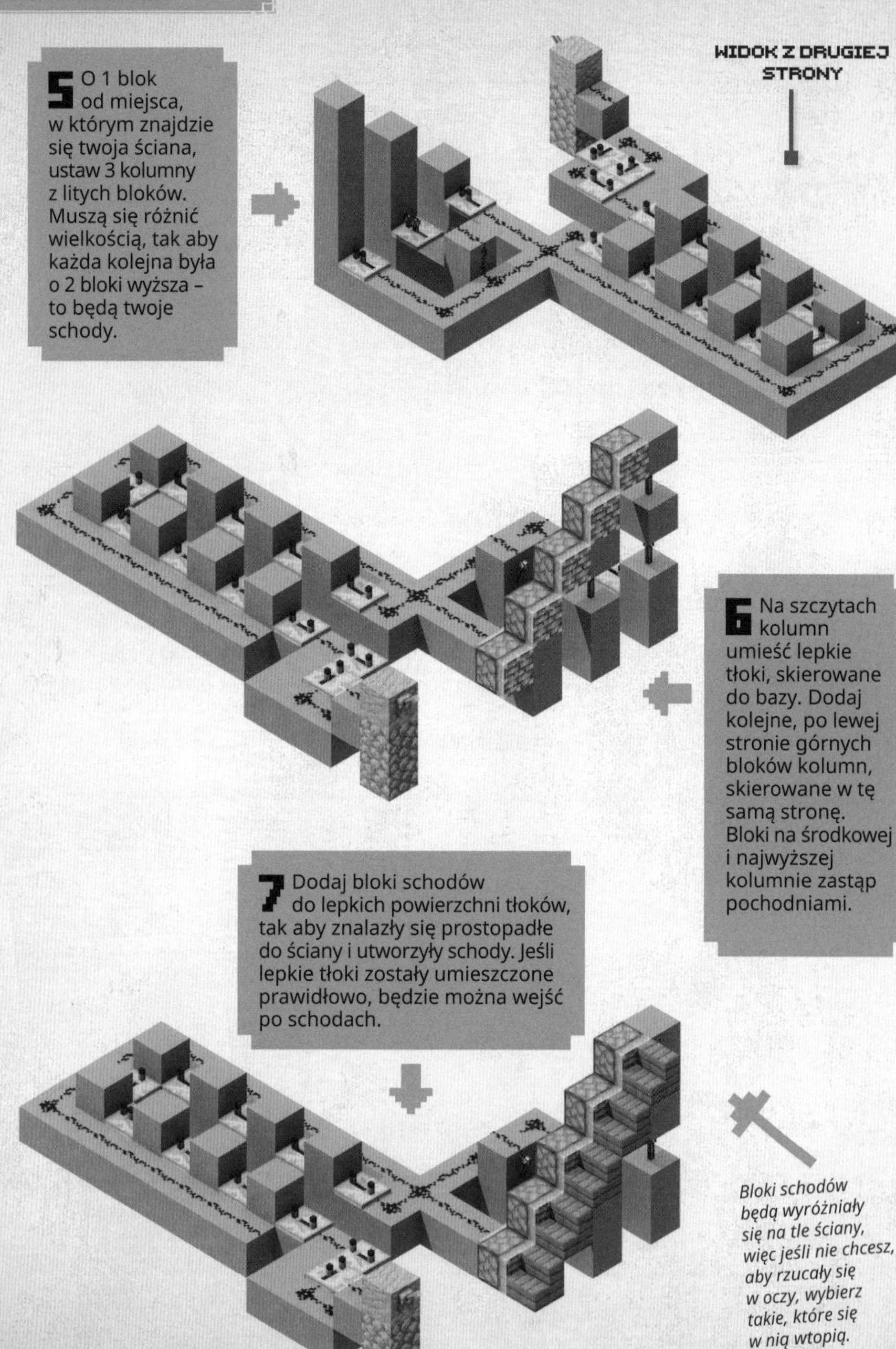

6 Na szczytach kolumn umieść lepkie tłoki, skierowane do bazy. Dodaj kolejne, po lewej stronie górnych bloków kolumn, skierowane w tę samą stronę. Bloki na środkowej i najwyższej kolumnie zastąp pochodniami.

7 Dodaj bloki schodów do lepkich powierzchni tłoków, tak aby znalazły się prostopadłe do ściany i utworzyły schody. Jeśli lepkie tłoki zostały umieszczone prawidłowo, będzie można wejść po schodach.

Bloki schodów będą wyróżniały się na tle ściany, więc jeśli nie chcesz, aby rzucały się w oczy, wybierz takie, które się w nią wtopią.

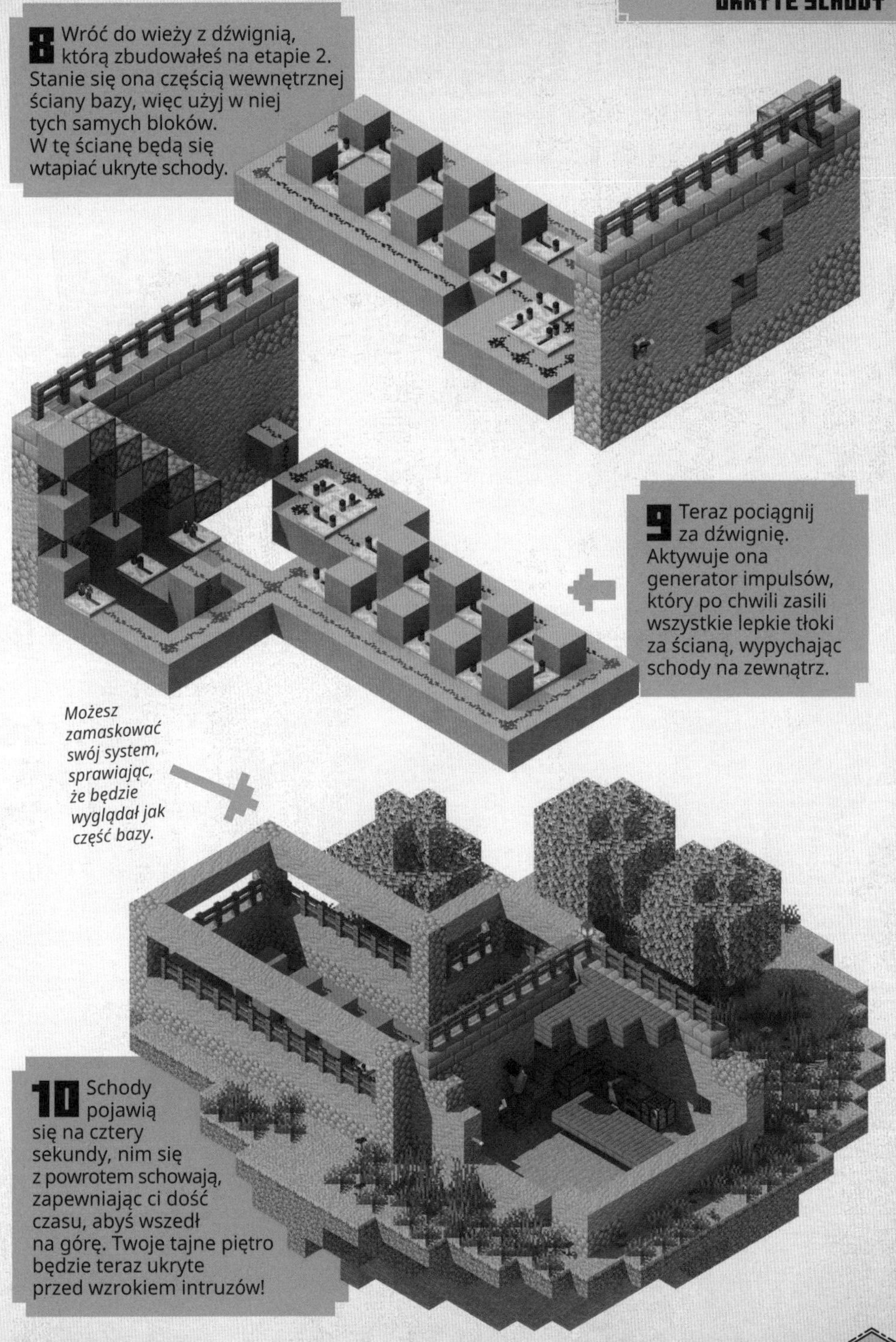

8 Wróć do wieży z dźwignią, którą zbudowałeś na etapie 2. Stanie się ona częścią wewnętrznej ściany bazy, więc użyj w niej tych samych bloków. W tę ścianę będą się wtapiać ukryte schody.

9 Teraz pociągnij za dźwignię. Aktywuje ona generator impulsów, który po chwili zasili wszystkie lepkie tłoki za ścianą, wypychając schody na zewnątrz.

Możesz zamaskować swój system, sprawiając, że będzie wyglądał jak część bazy.

10 Schody pojawią się na cztery sekundy, nim się z powrotem schowają, zapewniając ci dość czasu, abyś wszedł na górę. Twoje tajne piętro będzie teraz ukryte przed wzrokiem intruzów!

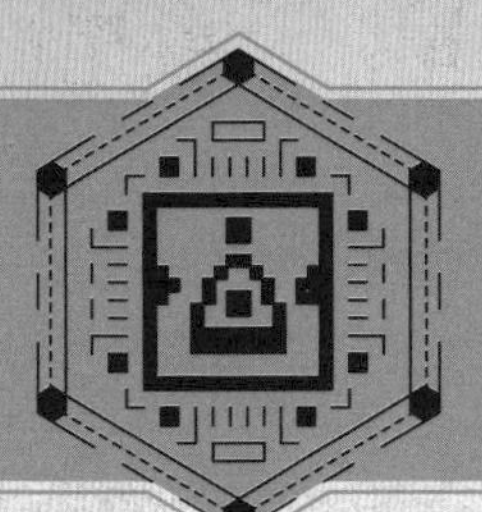

OBWODY ZEGAROWE

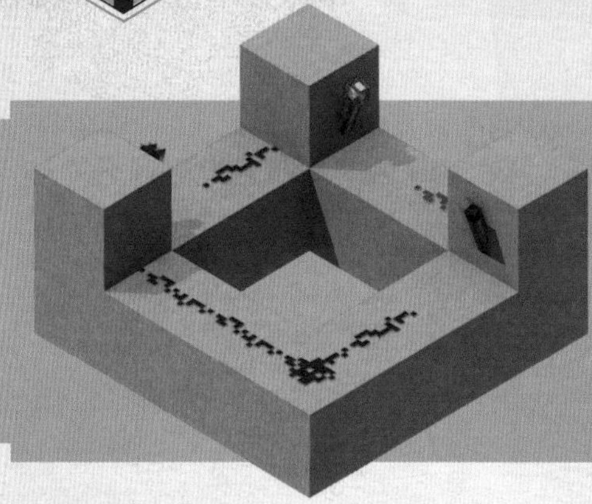

OBWÓD POCHODNIOWY

W najprostszym obwodzie zegarowym czerwone pochodnie umieszczone na litych blokach łączy się czerwonym pyłem. Każde z tych połączeń jest bramką NOT. Wyłączy się ona, gdy otrzyma z tyłu sygnał. W zegarze pochodniowym użyj nieparzystej liczby pochodni – inaczej sygnał będzie stały.

OBWÓD PRZEKAŹNIKOWY

Używając przekaźników, można zrobić znacznie szybszy obwód zegarowy. Umieścić 2 przekaźniki naprzeciw siebie zwrócone w przeciwnych kierunkach. Potem rozsyp przed i za nimi czerwony pył. To twój zegar. Do jego aktywacji potrzebne jest tymczasowe źródło zasilania. Umieść obok pyłu czerwoną pochodnię i zniszcz ją, aby uruchomić zegar. Zrób to szybko – jeśli sygnał będzie trwał dłużej niż 1, to się nie zapętli.

Zamiast używać pojedynczego impulsu do aktywacji czerwonego mechanizmu, możesz wykorzystać powtarzalny sygnał. Obwody zegarowe to w zasadzie pętle czerwonych sygnałów, które mogą wielokrotnie aktywować czerwone komponenty. Przyjrzyjmy się kilku różnym sposobom ich tworzenia.

OBWÓD POCHODNIOWO-PRZEKAŹNIKOWY

Połączenie pochodni z przekaźnikami da ci kombinację dwóch poprzednich. Ten obwód zawiera bramkę NOT z pochodniowym przemiennikiem, więc przekaźniki się nie przeciążą, a on stworzy pętlę o długości 3 ticków (a nie 5, jak w zegarze pochodniowym). Zrób go, umieszczając obok siebie przekaźniki zwrócone w przeciwnych kierunkach. Dodaj przed jednym lity blok z pochodnią skierowaną w bok, aby zasilić obwód za drugim. Dodaj z drugiej strony przekaźników trzy garści pyłu. Gotowe!

OBWÓD LEJOWY

Najbardziej kompaktowy obwód zegarowy stworzysz przy użyciu lejów. Ustaw obok siebie dwa leje, a następnie wrzuć do nich jakiś przedmiot. Dodaj komparator zwrócony w stronę przeciwną do jednego z nich. Podobnie jak zegar przekaźnikowy musi on być na krótko aktywowany przez źródło zasilania, więc umieść obok pochodnię i szybko ją zniszcz. Leje będą przekazywały przedmiot między sobą, a komparator będzie regularnie wysyłał sygnał, gdy wykryje go w leju z tyłu.

DOBRA RADA

Gdy obwód lejowy zadziała, można dodać obok drugiego leja komparator, aby stworzyć dwa działające naprzemiennie zegary zasilane tym samym źródłem.

WAROWNIA

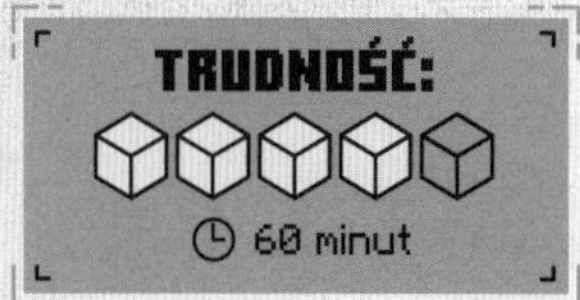

GŁÓWNE BLOKI

Z PRZODU

Z BOKU

Z GÓRY

Obwody zegarowe świetnie nadają się do wielokrotnego aktywowania czerwonych mechanizmów, szczególnie obronnych. Te wyrzutnie strzał będą otrzymywały regularnie czerwone sygnały i wystrzeliwały strzały za każdym razem, gdy do nich dotrze. To świetny sposób na trzymanie intruzów na dystans!

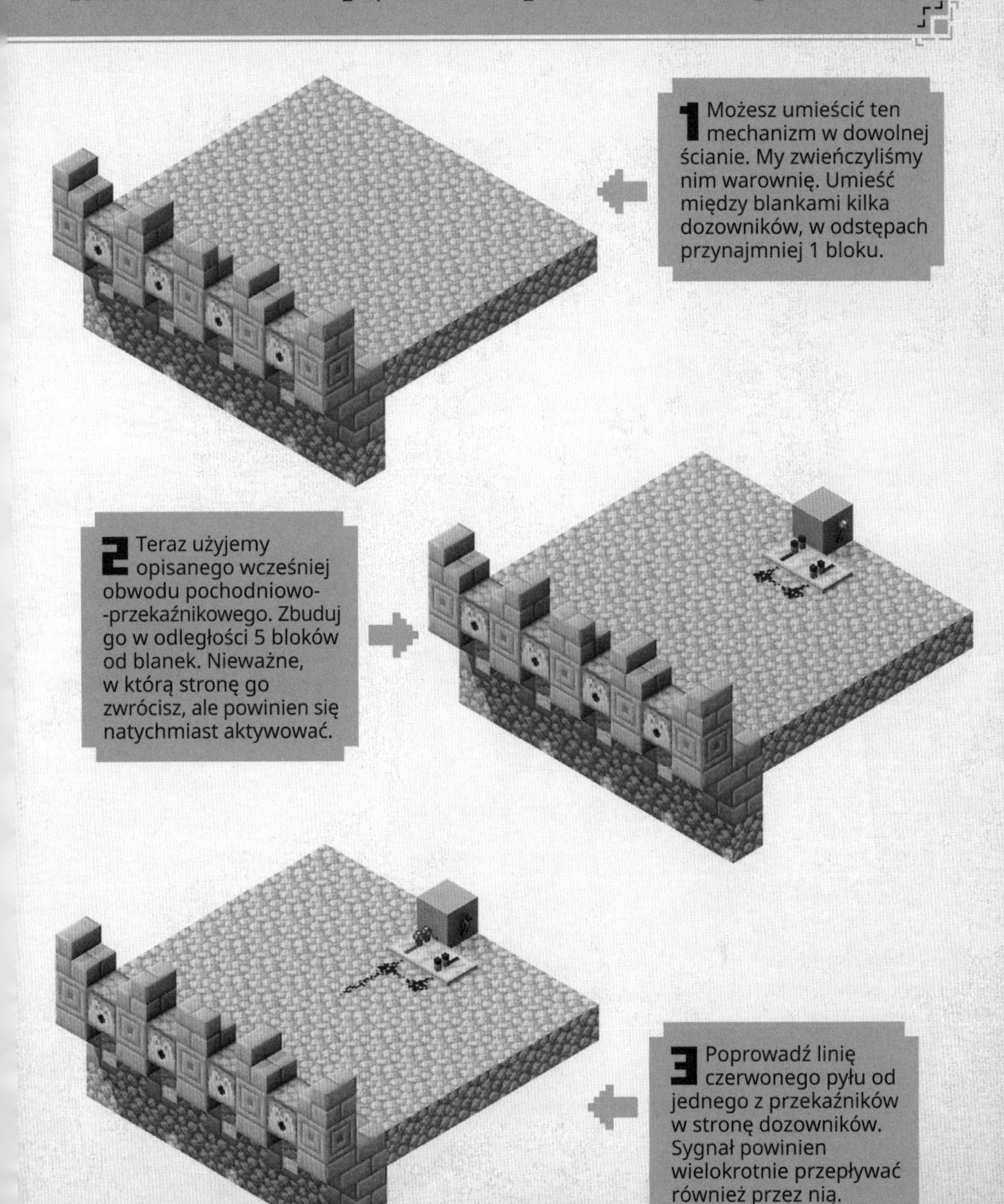

1 Możesz umieścić ten mechanizm w dowolnej ścianie. My zwieńczyliśmy nim warownię. Umieść między blankami kilka dozowników, w odstępach przynajmniej 1 bloku.

2 Teraz użyjemy opisanego wcześniej obwodu pochodniowo--przekaźnikowego. Zbuduj go w odległości 5 bloków od blanek. Nieważne, w którą stronę go zwrócisz, ale powinien się natychmiast aktywować.

3 Poprowadź linię czerwonego pyłu od jednego z przekaźników w stronę dozowników. Sygnał powinien wielokrotnie przepływać również przez nią.

4 Teraz musisz dodać wyłącznik między obwodem a dozownikami, inaczej zabraknie ci strzał, nim jeszcze wróg zbliży się do warowni. Dodaj bramkę NOT z pochodniowym przemiennikiem na końcu linii czerwonego pyłu i umieść na niej dźwignię.

WIDOK Z GÓRY

5 Przed pochodniowym przemiennikiem rozsyp jeszcze nieco pyłu, a następnie rozgałęź go tak, aby docierał do każdego dozownika. Bramka NOT powinna zatrzymać sygnał do nich docierający. Jeśli tak nie jest, przesuń dźwignię.

6 Napełnij dozowniki strzałami. Dodaj tak wiele stacków po 64 strzał, ile tylko zdołasz, aby nie musieć zbyt często ich uzupełniać.

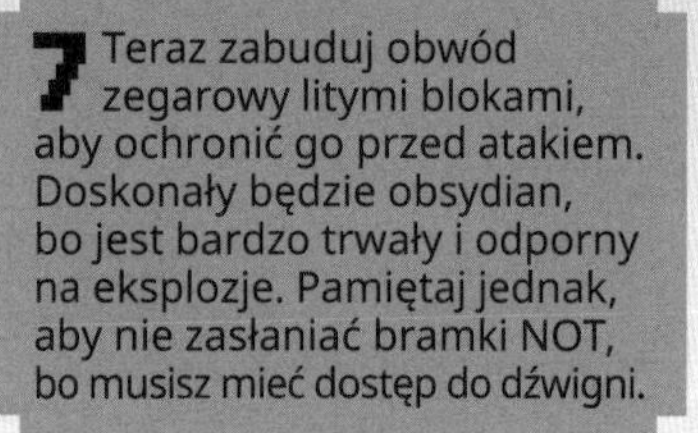

7 Teraz zabuduj obwód zegarowy litymi blokami, aby ochronić go przed atakiem. Doskonały będzie obsydian, bo jest bardzo trwały i odporny na eksplozje. Pamiętaj jednak, aby nie zasłaniać bramki NOT, bo musisz mieć dostęp do dźwigni.

8 Pociągnij za dźwignię na bramce NOT, aby sygnał przepłynął przez pochodniowy przemiennik i aktywował dozowniki. Z każdego powinny natychmiast wylecieć strzały.

9 Obwód zegarowy będzie działał stale, ale możesz użyć dźwigni, aby dozowniki odbierały sygnał, gdy tylko w pobliżu pojawi się wróg. Jeśli chcesz ukryć system uzbrojenia, możesz również połączyć obwody zegarowe z furtkami, aby były ukryte, gdy nie są używane.

TRIKI I SZTUCZKI

PRECYZYJNA SIŁA SYGNAŁU

Niektóre konstrukcje potrzebują sygnału, który pokona tylko pewną odległość, ale większość źródeł zasilania albo wysyła sygnał, albo nie. Chcąc stworzyć źródło zasilania o precyzyjnej mocy, użyj kombinacji lepkiego tłoka, komparatora i bloku magazynującego, wypełniając element magazynujący w pożądanym stopniu. Następnie użyj przycisku, aby połączyć element magazynujący z komparatorem i wytworzyć idealny sygnał.

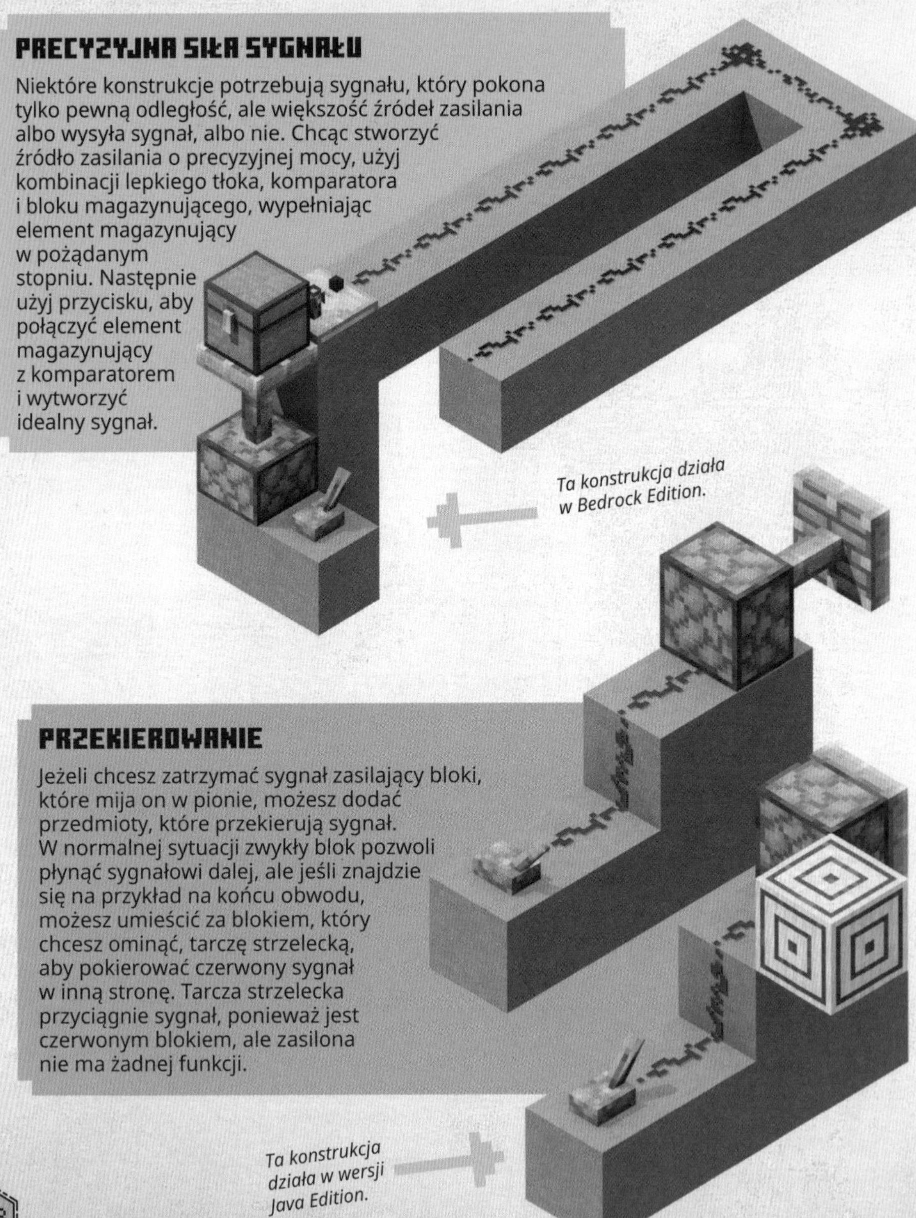

Ta konstrukcja działa w Bedrock Edition.

PRZEKIEROWANIE

Jeżeli chcesz zatrzymać sygnał zasilający bloki, które mija on w pionie, możesz dodać przedmioty, które przekierują sygnał. W normalnej sytuacji zwykły blok pozwoli płynąć sygnałowi dalej, ale jeśli znajdzie się na przykład na końcu obwodu, możesz umieścić za blokiem, który chcesz ominąć, tarczę strzelecką, aby pokierować czerwony sygnał w inną stronę. Tarcza strzelecka przyciągnie sygnał, ponieważ jest czerwonym blokiem, ale zasilona nie ma żadnej funkcji.

Ta konstrukcja działa w wersji Java Edition.

Teraz, gdy znasz już podstawowe obwody, jesteś na dobrej drodze do zostania prawdziwym specem! Aby umocnić swoją pozycję jako eksperta od czerwonego kamienia, skorzystaj z naszych rad, które przydadzą ci się, nim przejdziemy do bardziej skomplikowanych systemów.

SYGNAŁ BEZPRZEWODOWY

Sygnał bezprzewodowy to rzadkość w grze, ale istnieje. Wysyłają go na przykład skulkowe czujniki, emitujące czerwony sygnał, gdy aktywują je pobliskie wibracje. Możesz też umieścić dwa detektory światła dziennego i porównać ich sygnały – użyj bloku z tłokiem, aby zablokować światło dzienne i przekazać sygnał bezprzewodowo (pod warunkiem, że na jego drodze nie będzie innych bloków i będzie bezchmurnie, inaczej nie będzie zawsze działał).

ZASTĘPOWANIE

Poznałeś już różne obwody, jednak aby stworzyć sprytne urządzenia, trzeba czasem nieco pokombinować! Jeden z najoczywistszych sposobów tworzenia obwodu zegarowego to zbudowanie pętli z kilkoma torami zasilanymi i odcinkiem z czujnikiem. Wyśle on sygnał za każdym razem, gdy przejedzie wagonik. To dość spora konstrukcja, ale bardzo prosta.

DOBRA RADA

Zamieniaj źródła zasilania, bloki manipulacyjne i obwody, aby rozbudować i rozwinąć swoje unikalne czerwone mechanizmy.

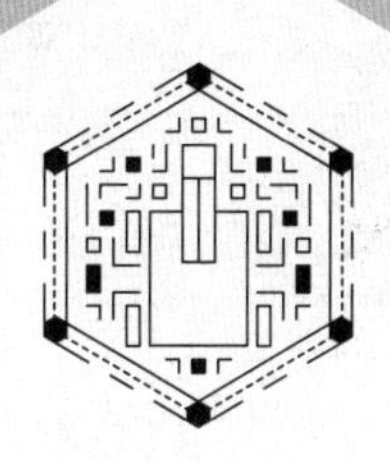

ZRÓB TO SAM

Do tej pory zdążyłeś już poznać wszystkie możliwości czerwonego kamienia, ale to dopiero początek! W tej części pokażemy ci, jak łączyć ze sobą różne komponenty, własności i obwody tego budulca, aby tworzyć niesamowite konstrukcje ułatwiające życie w Minecrafcie.

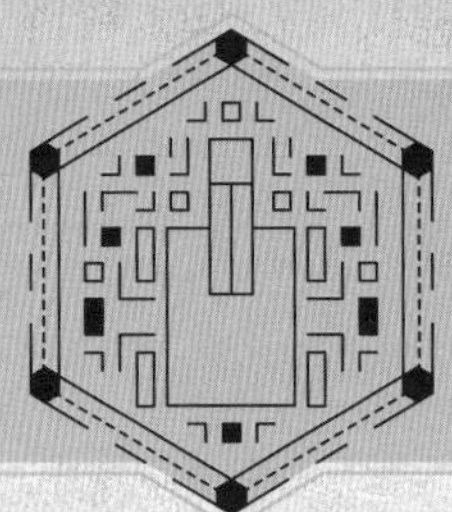

LAWOWA PUŁAPKA

TRUDNOŚĆ:

60 minut

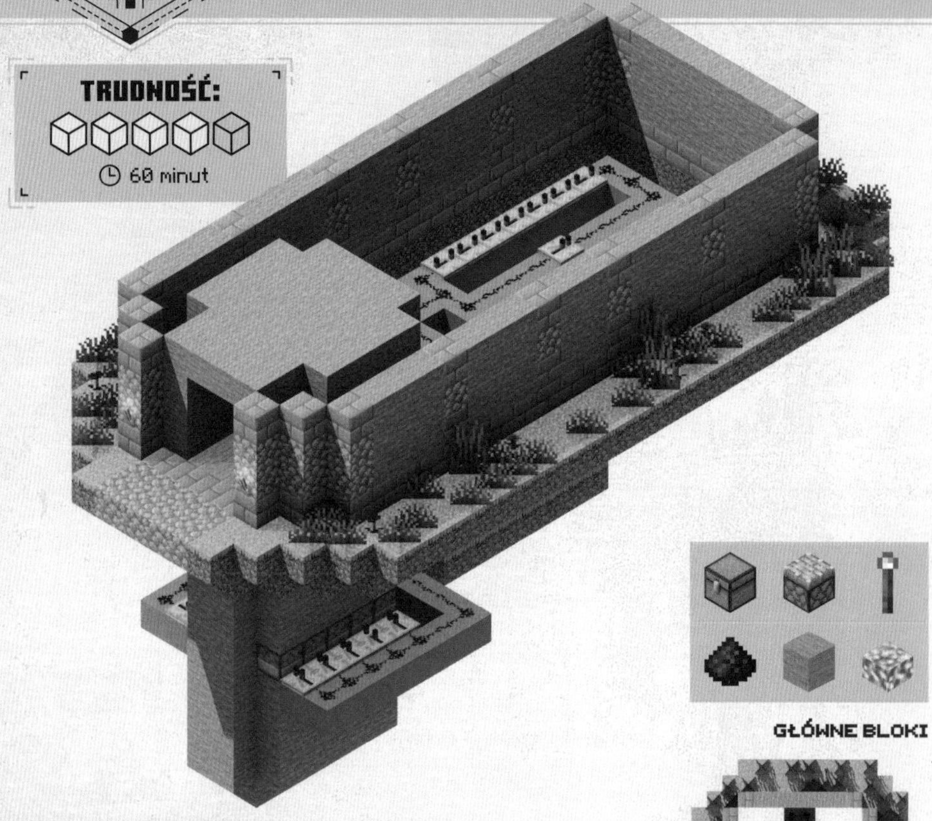

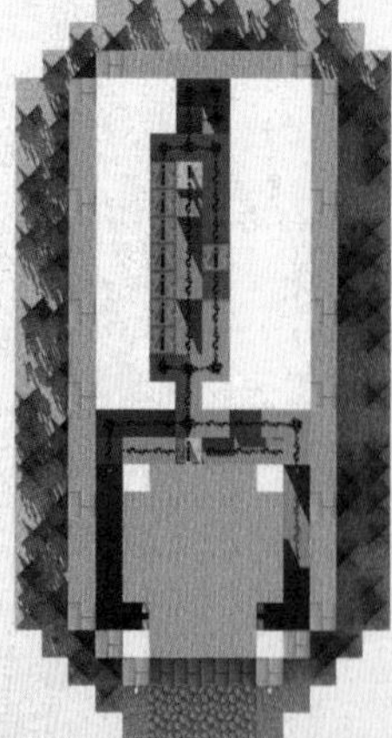

GŁÓWNE BLOKI

Z PRZODU

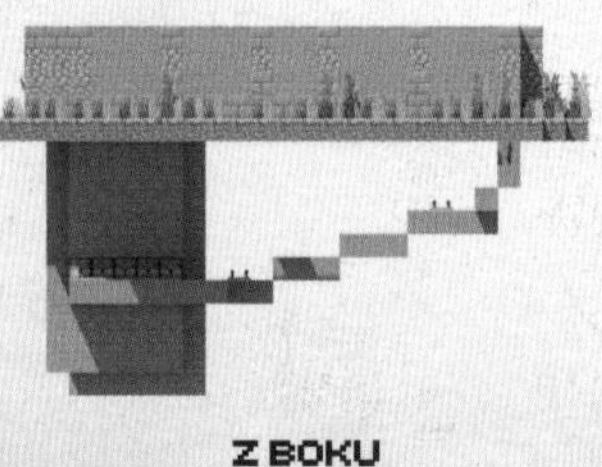

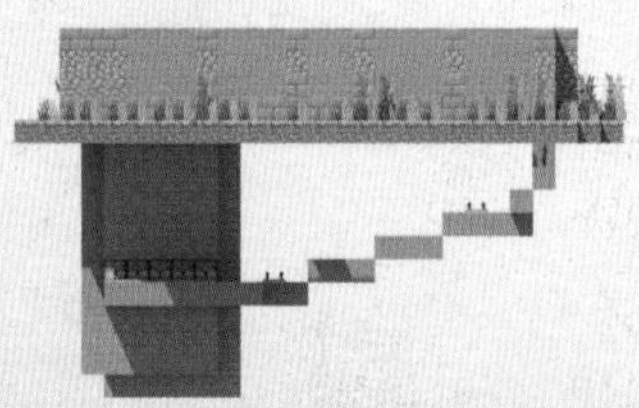

Z BOKU

Z GÓRY

Jeśli twoich wrogów nie wykończy lawa... to na pewno zaszkodzi im upadek z wysokości. W tej podwójnej pułapce wykorzystaliśmy obwód impulsowy i pionowy czerwony obwód, otwierające zapadnię, zalewając jednocześnie intruzów lawą.

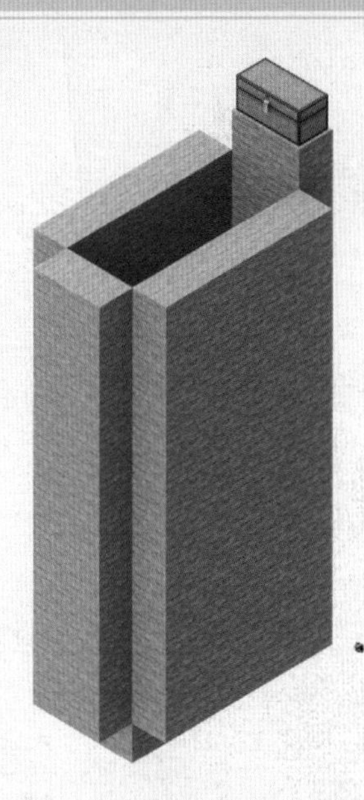

1 Wykop rów o szerokości przynajmniej 2 × 5 bloków i głębokości 10 bloków. Na szczycie nowych litych bloków, ustawionych na skraju rowu umieść dwie skrzynie pułapki. Za nimi zbudujesz ścianę konstrukcji.

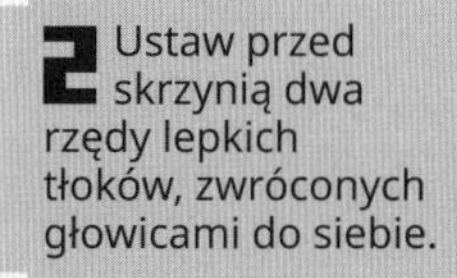

2 Ustaw przed skrzynią dwa rzędy lepkich tłoków, zwróconych głowicami do siebie.

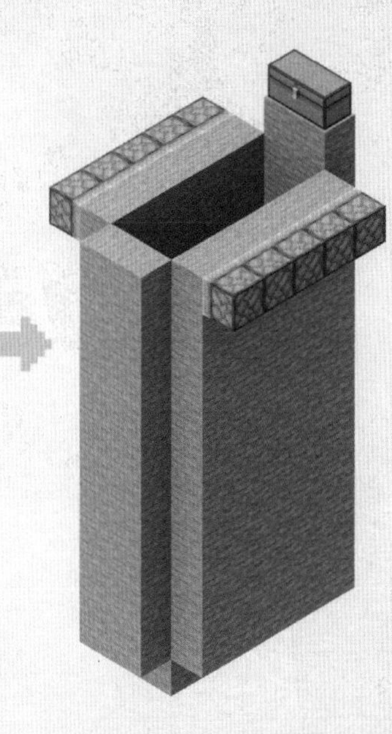

3 Ustaw za lepkimi tłokami lite bloki i rozsyp na nich czerwony pył. Na końcu każdego z rzędów dodaj po jednym bloku, umieszczając go tak, aby znalazł się w jednym rzędzie ze skrzynią. Dodaj do nich czerwone pochodnie. W ten sposób aktywujesz tłoki i stworzysz zapadnię.

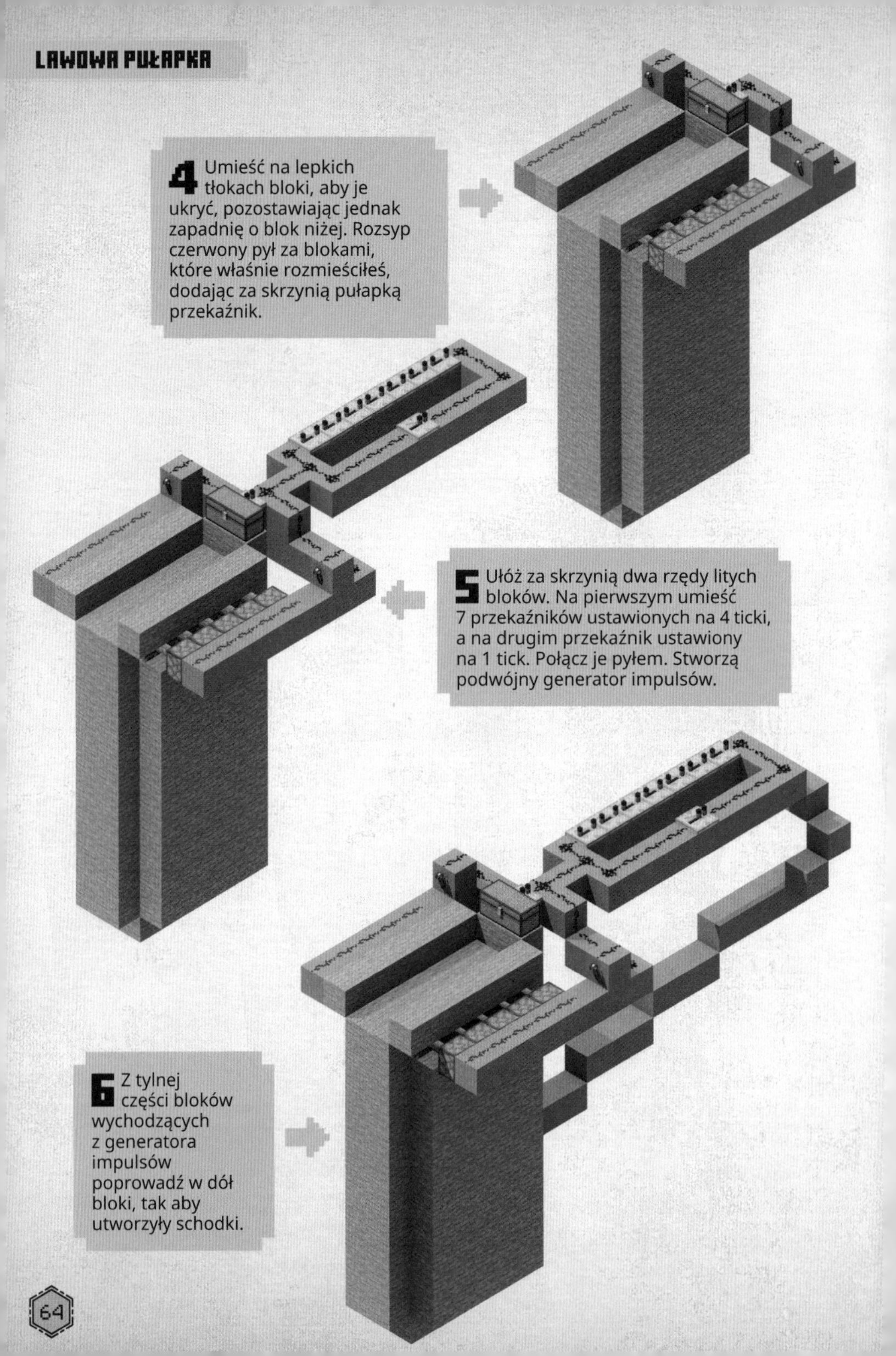

4 Umieść na lepkich tłokach bloki, aby je ukryć, pozostawiając jednak zapadnię o blok niżej. Rozsyp czerwony pył za blokami, które właśnie rozmieściłeś, dodając za skrzynią pułapką przekaźnik.

5 Ułóż za skrzynią dwa rzędy litych bloków. Na pierwszym umieść 7 przekaźników ustawionych na 4 ticki, a na drugim przekaźnik ustawiony na 1 tick. Połącz je pyłem. Stworzą podwójny generator impulsów.

6 Z tylnej części bloków wychodzących z generatora impulsów poprowadź w dół bloki, tak aby utworzyły schodki.

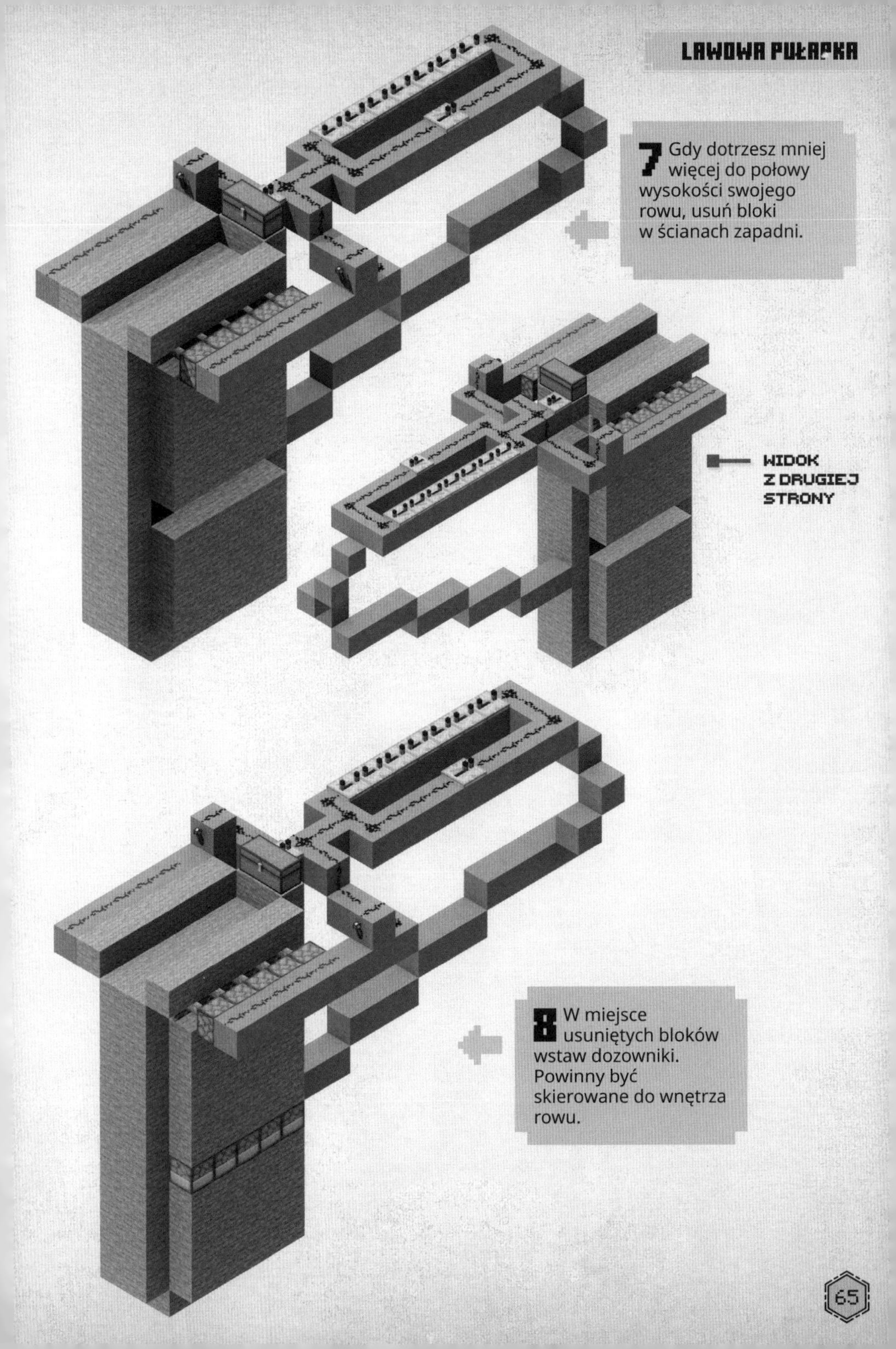

7 Gdy dotrzesz mniej więcej do połowy wysokości swojego rowu, usuń bloki w ścianach zapadni.

8 W miejsce usuniętych bloków wstaw dozowniki. Powinny być skierowane do wnętrza rowu.

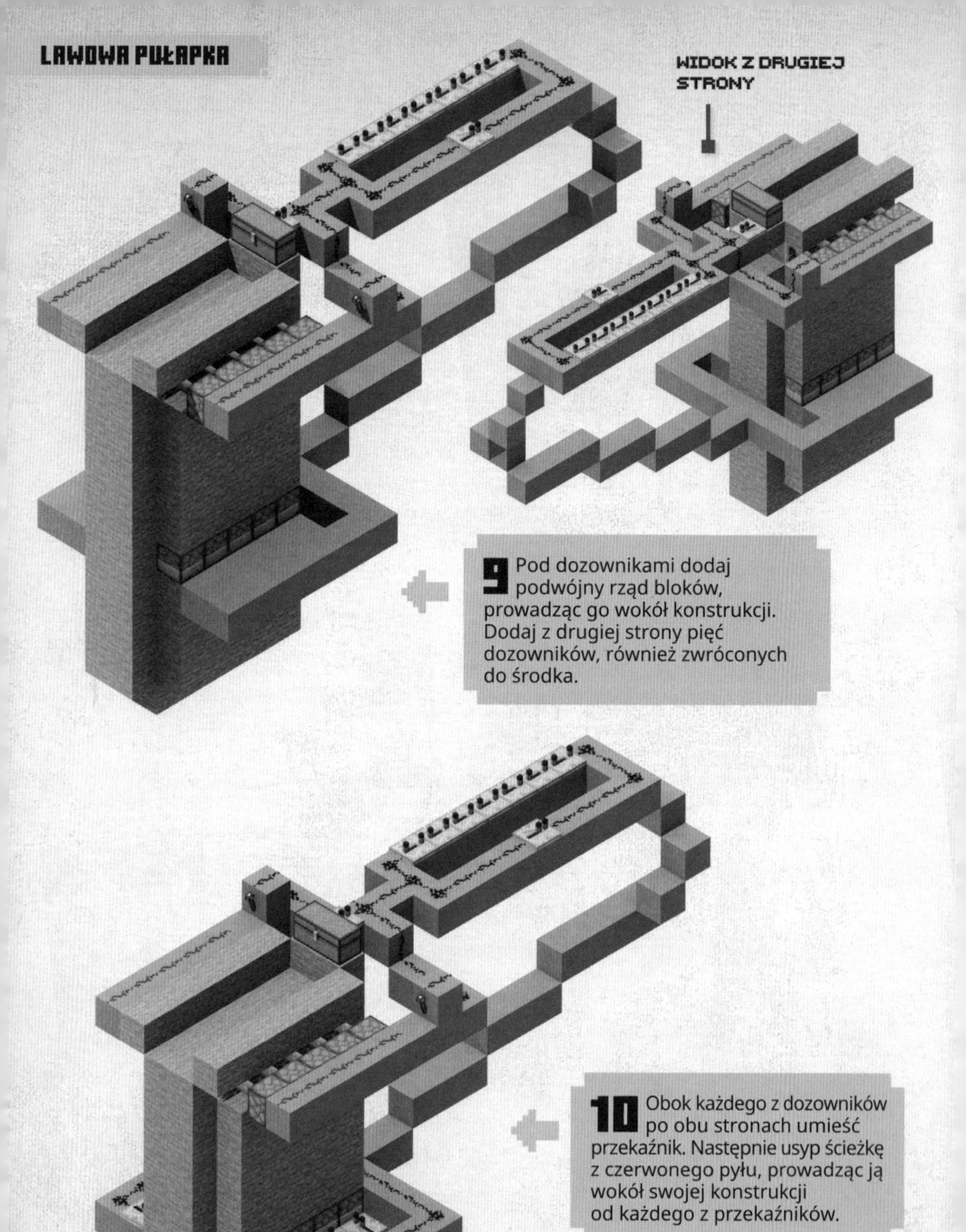

9 Pod dozownikami dodaj podwójny rząd bloków, prowadząc go wokół konstrukcji. Dodaj z drugiej strony pięć dozowników, również zwróconych do środka.

10 Obok każdego z dozowników po obu stronach umieść przekaźnik. Następnie usyp ścieżkę z czerwonego pyłu, prowadząc ją wokół swojej konstrukcji od każdego z przekaźników.

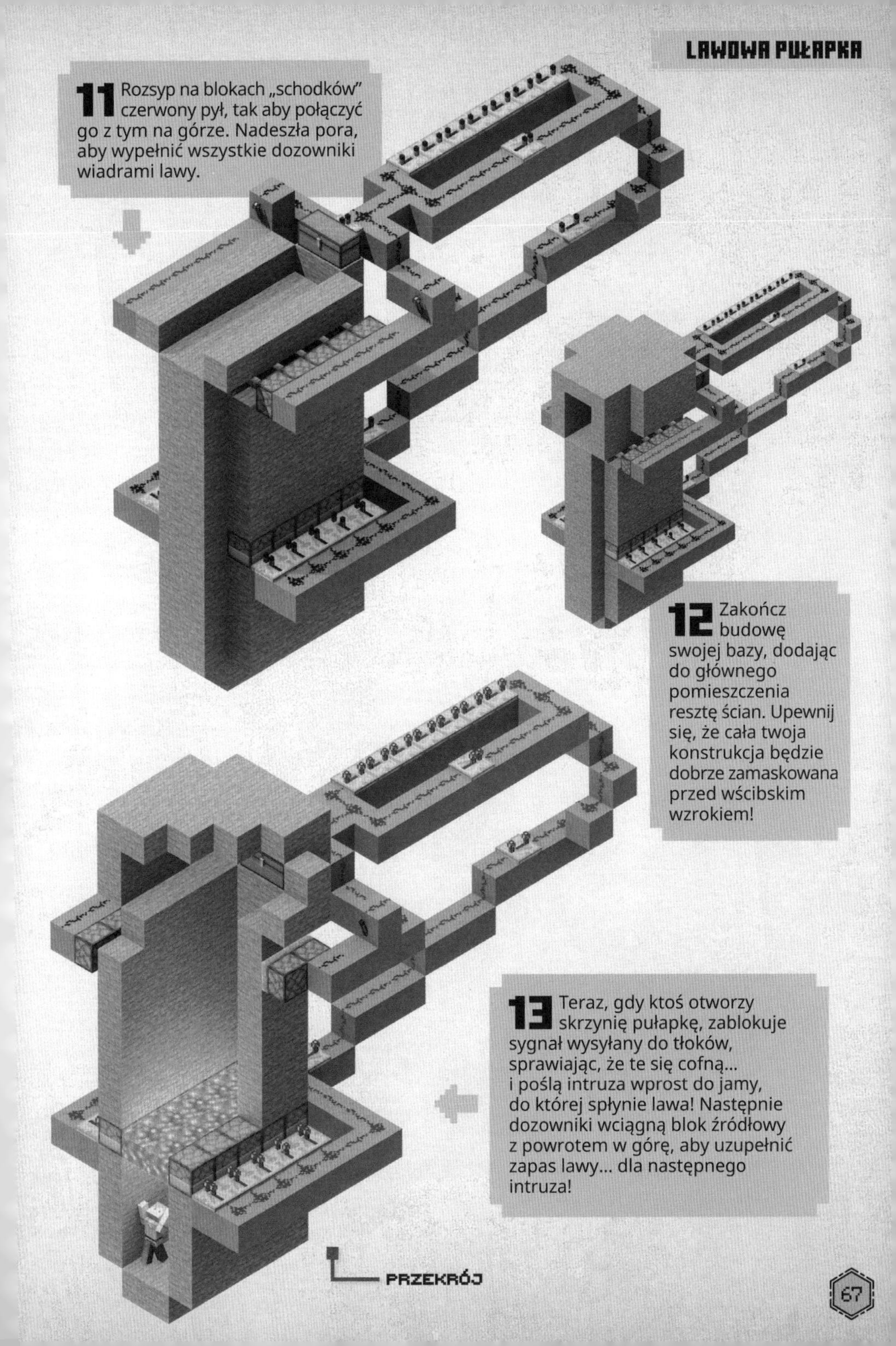

11 Rozsyp na blokach „schodków" czerwony pył, tak aby połączyć go z tym na górze. Nadeszła pora, aby wypełnić wszystkie dozowniki wiadrami lawy.

12 Zakończ budowę swojej bazy, dodając do głównego pomieszczenia resztę ścian. Upewnij się, że cała twoja konstrukcja będzie dobrze zamaskowana przed wścibskim wzrokiem!

13 Teraz, gdy ktoś otworzy skrzynię pułapkę, zablokuje sygnał wysyłany do tłoków, sprawiając, że te się cofną... i poślą intruza wprost do jamy, do której spłynie lawa! Następnie dozowniki wciągną blok źródłowy z powrotem w górę, aby uzupełnić zapas lawy... dla następnego intruza!

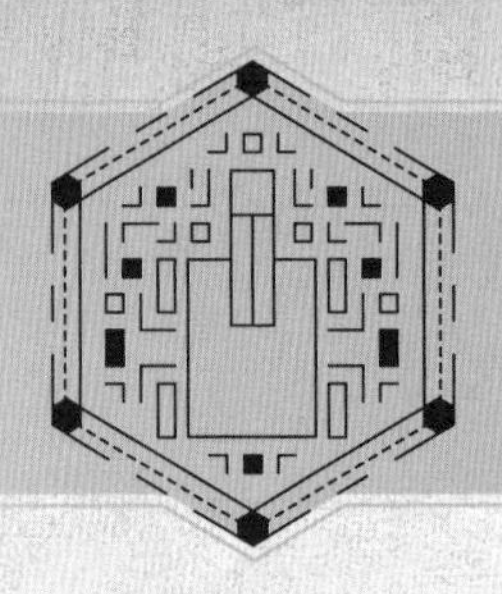

ALTERNATYWNE PUŁAPKI

PRZYPADKOWY ŁUP

Wyobraź sobie taką sytuację: ktoś najeżdża twoją bazę i otwiera skrzynię pułapkę... ale nic się nie dzieje. Wprowadza się więc i przez jakiś czas mieszka w bazie, korzystając ze skrzyni. Aż tu nagle, niespodziewanie, wpada w pułapkę! Jeśli dodasz do skrzyni pułapki rozdzielacz impulsów, nim sygnał z niego dotrze do reszty mechanizmu, aktywuje się ona dopiero przy szóstym otwarciu. Warto zaczekać na efekt!

Eksperymentuj ze wszystkimi czerwonymi blokami, które opisaliśmy w podręczniku! Jak będzie działała twoja pułapka?

ZABÓJCZA WODA

Lawa jest świetna, ale użyta w odpowiedni sposób woda również może być niebezpieczna! Zamiast zalewać rów lawą, wypełnij go wodą, tak aby sięgała do wysokości bloków z tłokami – powstrzyma ona intruzów równie skutecznie! W połączeniu z lawą stworzy zaś ona bloki obsydianu, które jeszcze bardziej utrudnią uwięzionym intruzom wydostanie się z pułapki.

Gdy twoja pułapka z lawą będzie gotowa, pora zastanowić się, jak można ją ulepszyć. Część zabawy z czerwonym kamieniem polega na testowaniu, jak można zamieniać i usprawniać elementy istniejących konstrukcji. Tutaj znajdziesz kilka rad, jak tego dokonać.

WALKA O WOLNOŚĆ

Co mogłoby bardziej zaskoczyć intruzów, próbujących się dostać do twojej bazy, niż niespodziewana konieczność stawienia czoła wrogom? Ta pułapka zepchnie ich do płytkiego basenu w pokoju pełnym mobów – aby wydostać się na wolność, będą musieli z nimi walczyć!

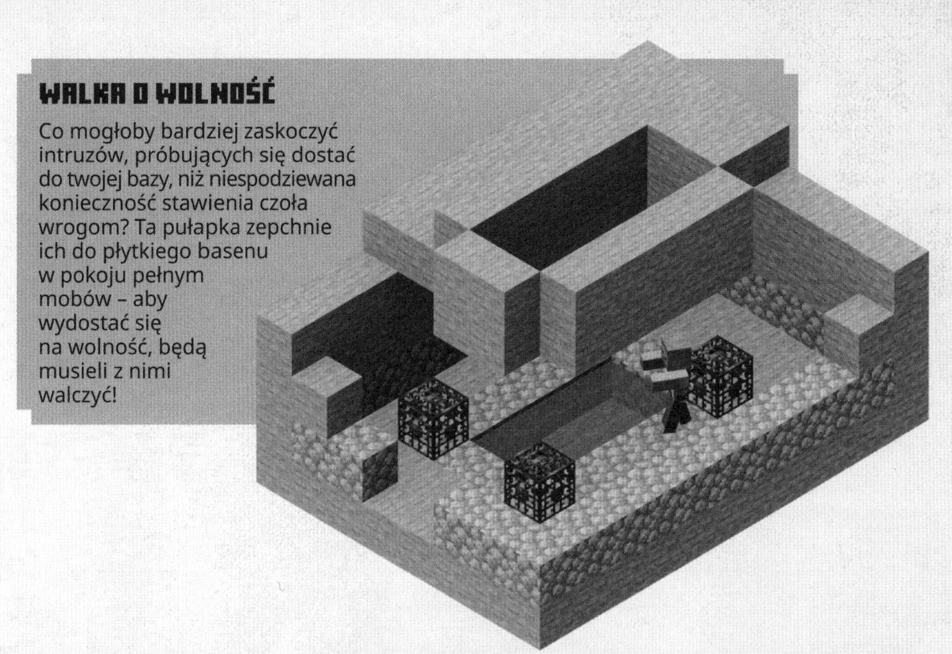

CZAS NA GRĘ

A może zamiast bezlitośnie rozprawiać się z intruzami, chcesz sobie zapewnić nieco rozrywki? Jeśli masz ochotę, możesz dodać za każdym z tłoków zapadni obwody zegarowe, aby losowo je otwierać i zamykać. Teraz usiądź wygodnie i obserwuj, jak intruzi przeskakują z miejsca na miejsce, próbując ocalić życie!

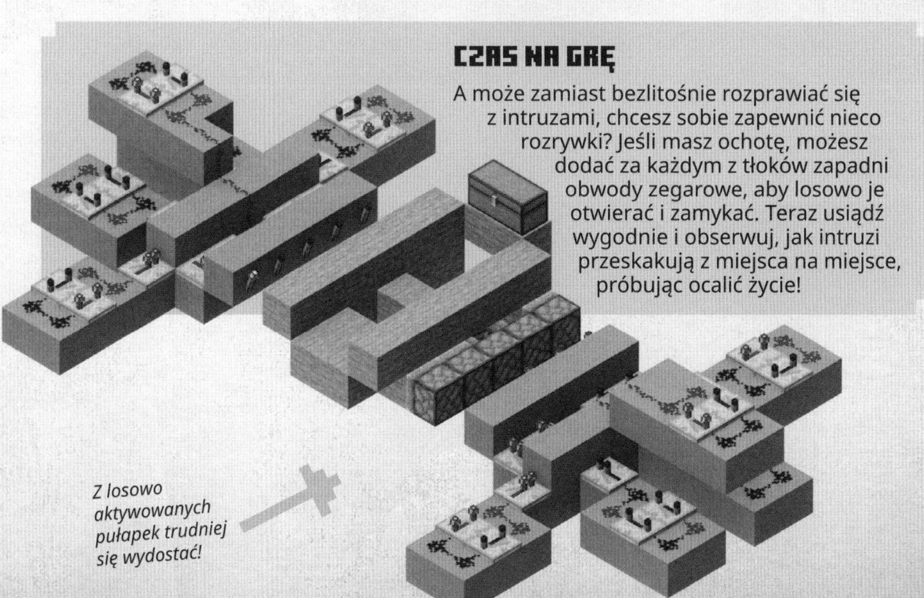

Z losowo aktywowanych pułapek trudniej się wydostać!

JIGARBOY PRZEDSTAWIA: DAWNIEJ I TERAZ

DAWNIEJ

Nadal pamiętam swoją pierwszą konstrukcję z użyciem czerwonego kamienia, jeszcze z czasów Alpha v1.1.2_01. Byłem zmęczony ciągłym wracaniem do domu i zamykaniem drzwi, aby chronić się przed creeperami, więc wymyśliłem system automatycznego zamykania. Ten pierwszy projekt pokazuje, jak mało wiedziałem na początku o czerwonym kamieniu... Dlaczego w ogóle pył rozsypałem między drzwiami a przyciskiem? Wówczas byłem przekonany, że to konieczne!

Jakiś czas później zacząłem realizować swój pierwszy poważny projekt z czerwonym kamieniem – międzykontynentalną stację kolejki! Nie wiedziałem nic o chunkach ani o ich działaniu, więc zrobiłem kilka stacji pośrednich, bo w zależności od kierunku ustawienia wagonika musiałem odpowiednio umieszczać boostery...

Stanowiły sposób na zwiększenie prędkości wagoników, bo wówczas nie istniały zasilane tory. Gdy po szynach jechały dwa wagoniki, ich prędkość się zwiększała z powodu błędu... Problem z boosterami był taki, że trzeba je było odpowiednio ustawiać, więc miało duże znaczenie, w którą stronę jedzie wagonik! Gdybym miał to zrobić teraz, użyłbym po prostu zasilanych torów. Tak wiele się zmieniło!

To niesamowite, jak bardzo czerwony kamień zwiększa twoje możliwości w grze! Tym razem Jigarbov wyjaśni nam, jak wiele może się zmienić dzięki ciężkiej pracy i szlifowaniu umiejętności. Przyjrzyjmy się jego pierwszym i najnowszym dziełom, aby przekonać się, jak bardzo się rozwinął.

TERAZ

Jakiś czas po tych małych eksperymentach w trybie przetrwania zacząłem zestawiać mapy. To tworzenie świata dla graczy, aby mogli go eksplorować. To sztuka opowiadania historii, tworzenia przygód, łamigłówek i minigier. I podczas gdy większość używa do tego celu bloków poleceń, to czerwony kamień nadal jest popularny. Wraz z kilkoma przyjaciółmi stworzyliśmy nawet całą mapę w trybie przetrwania, używając wyłącznie tego budulca! Wydaliśmy kompletną mapę *Perhaps, The Last*, a moją misją stała się wyprawa do podwodnej świątyni i rozwiązanie serii łamigłówek.

Pierwsze z zadań na czas polegało na przepchnięciu jajka przez rurę i wydostaniu go z jej drugiej strony. Aby tego dokonać, użyliśmy ukrytych czerwonych obwodów i bloków szlamu dodanych do tłoków. W drugiej części poziom trudności wzrastał: gracz musiał przepchnąć jajko przez bardziej skomplikowany system rur, używając tłoków, aby zmieniać kierunek strumienia wody. Punktem kulminacyjnym było wyzwanie polegające na zablokowaniu przekaźnika, przepchnięciu wagonika do końca torów i napełnienia lejów przedmiotami.

Wiele z tych łamigłówek uczy podstaw działania czerwonego kamienia. Jego funkcja nie ogranicza się do ulepszania świata gry w trybie przetrwania czy pomocy w budowaniu wielkich robotów – można go również używać do opowiadania historii i angażowania przyjaciół w tworzenie łamigłówek oraz różnych innych rzeczy.

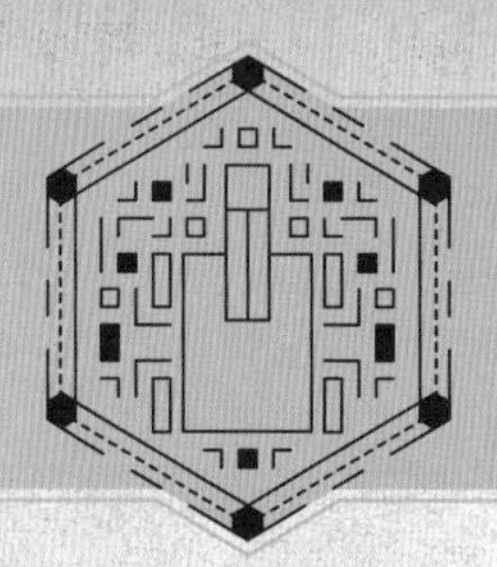

ZAMEK SZYFROWY

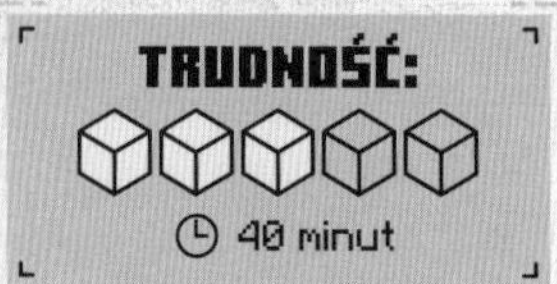

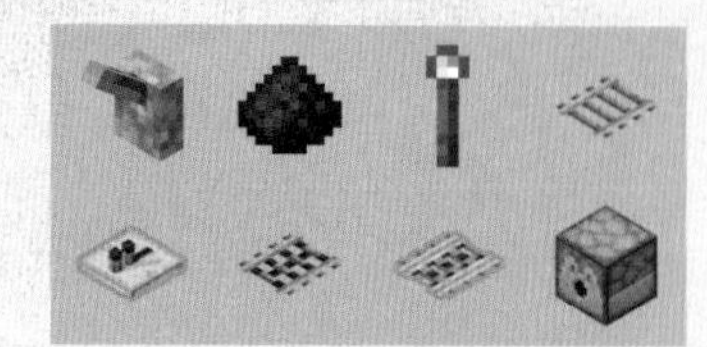

GŁÓWNE BLOKI

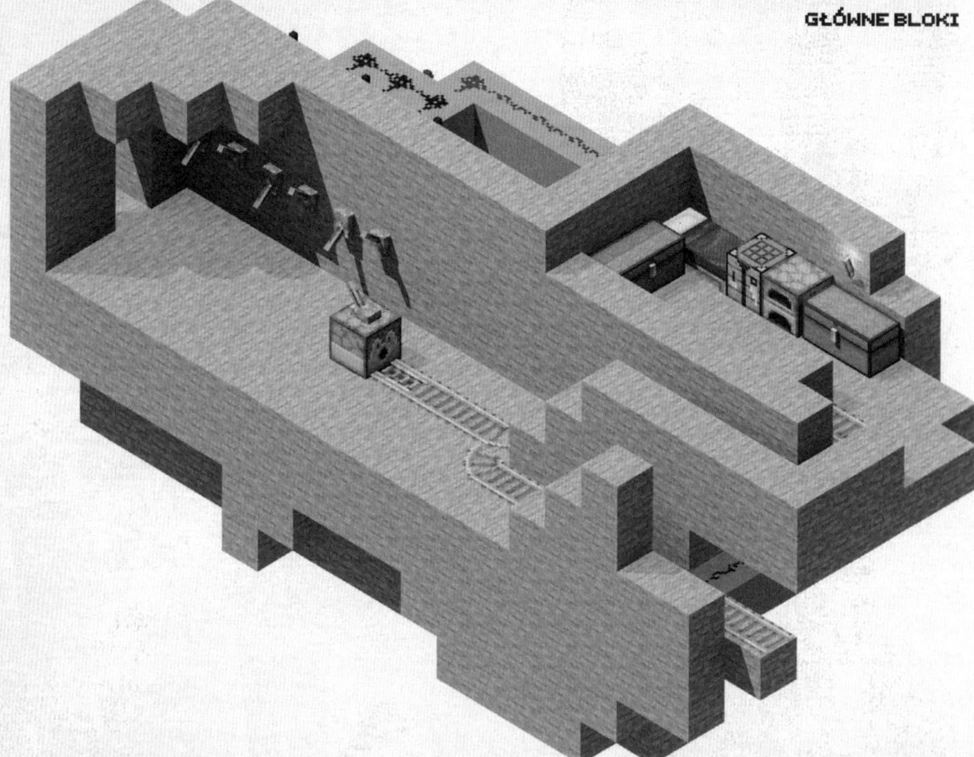

Z PRZODU

Z BOKU

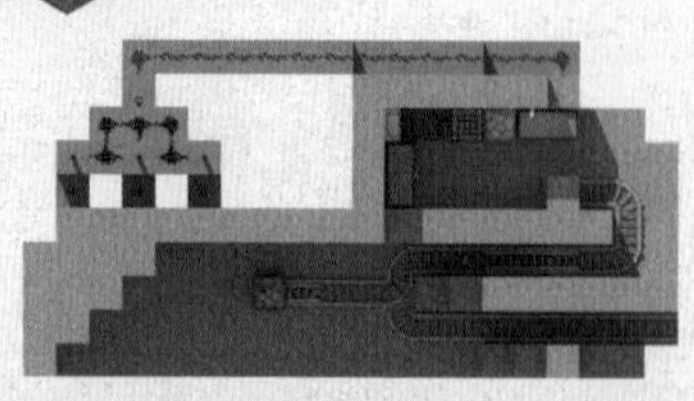

Z GÓRY

Możesz też chronić swoją bazę w inny sprytny sposób! Ten rozjazd pozwoli ci wjeżdżać do bazy wagonikiem, ale zamek szyfrowy sprawi, że do środka dostaną się tylko ci, którzy będą znali kod – innych czeka bolesny upadek z wysokości!

1 Zbuduj na zewnątrz swojej bazy ścianę 3 × 6 z litych bloków. Umieść wzdłuż środkowego rzędu bloków dźwignie – to będzie początek zamka szyfrowego.

2 Wybierz trzy dźwignie, aby stworzyć swój tajny szyfr. Umieść za nimi po 1 bloku i rozsyp na nich czerwony pył.

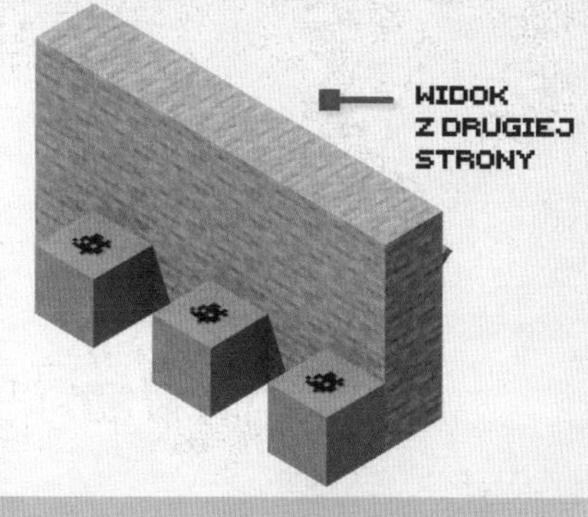

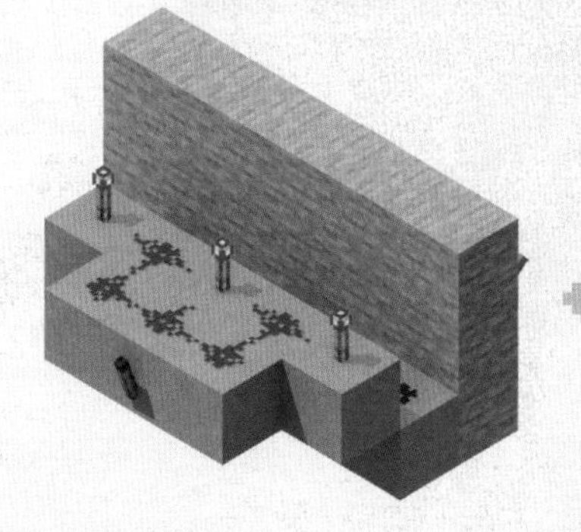

3 Za tą konstrukcją zbuduj o blok wyżej bramkę AND z trzema wejściami (zob. str. 41). Dodaj lite bloki, aby stworzyć platformę, i czerwone pochodnie na blokach bezpośrednio za czerwonym pyłem, a potem rozsyp pył na pozostałych blokach. Na środku na tylnej części platformy umieść czerwoną pochodnię.

4 Wykonaj szybki test, aktywując dźwignie, aby upewnić się, że bramka AND jest skonfigurowana prawidłowo i za ścianą włącza się tylko jedna pochodnia. Potem wybierz miejsce na rozjazd torów.

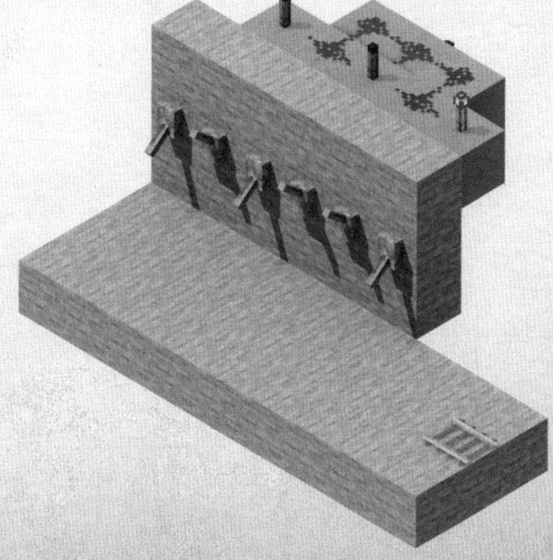

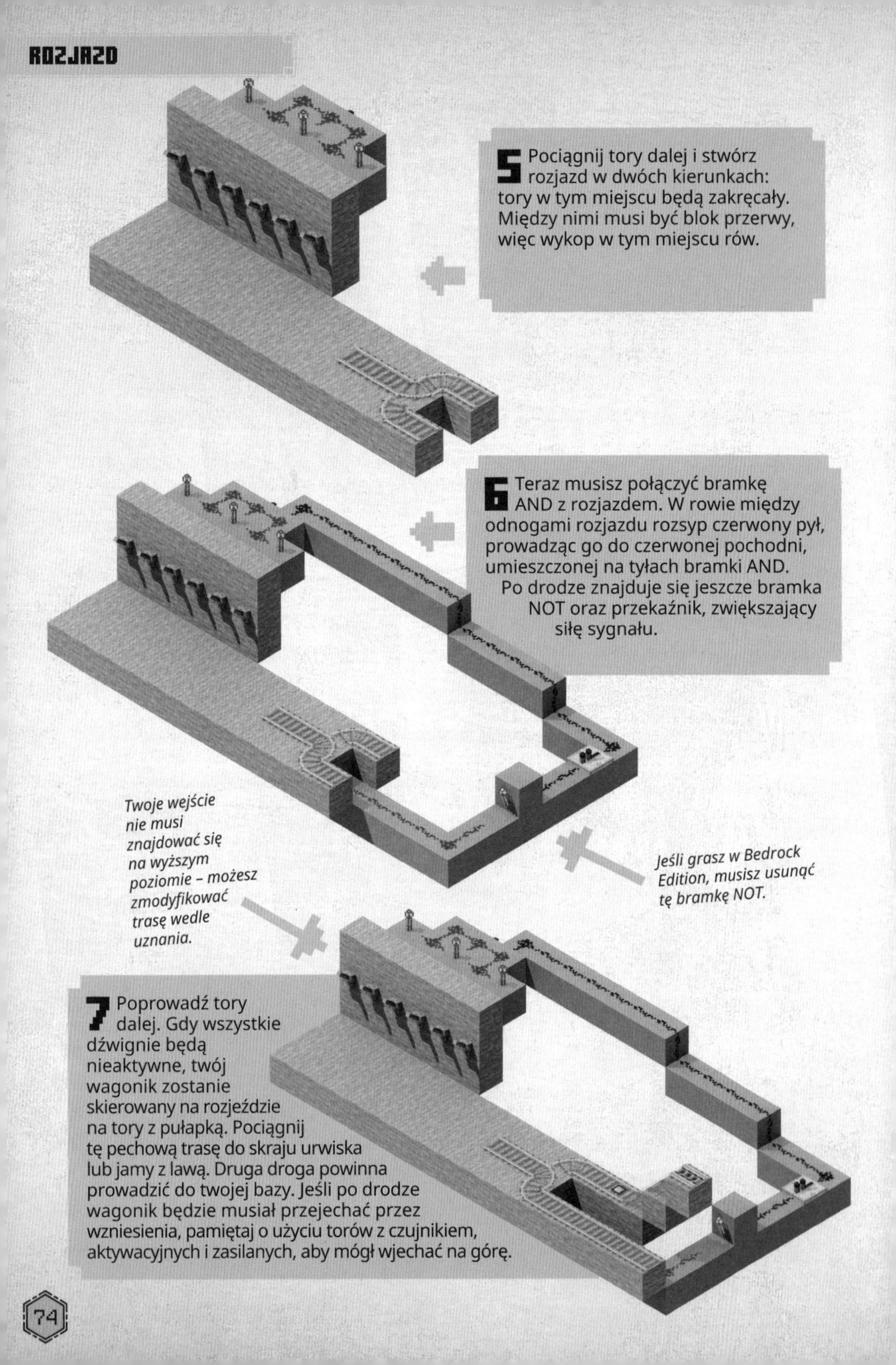

5 Pociągnij tory dalej i stwórz rozjazd w dwóch kierunkach: tory w tym miejscu będą zakręcały. Między nimi musi być blok przerwy, więc wykop w tym miejscu rów.

6 Teraz musisz połączyć bramkę AND z rozjazdem. W rowie między odnogami rozjazdu rozsyp czerwony pył, prowadząc go do czerwonej pochodni, umieszczonej na tyłach bramki AND. Po drodze znajduje się jeszcze bramka NOT oraz przekaźnik, zwiększający siłę sygnału.

Twoje wejście nie musi znajdować się na wyższym poziomie – możesz zmodyfikować trasę wedle uznania.

Jeśli grasz w Bedrock Edition, musisz usunąć tę bramkę NOT.

7 Poprowadź tory dalej. Gdy wszystkie dźwignie będą nieaktywne, twój wagonik zostanie skierowany na rozjeździe na tory z pułapką. Pociągnij tę pechową trasę do skraju urwiska lub jamy z lawą. Druga droga powinna prowadzić do twojej bazy. Jeśli po drodze wagonik będzie musiał przejechać przez wzniesienia, pamiętaj o użyciu torów z czujnikiem, aktywacyjnych i zasilanych, aby mógł wjechać na górę.

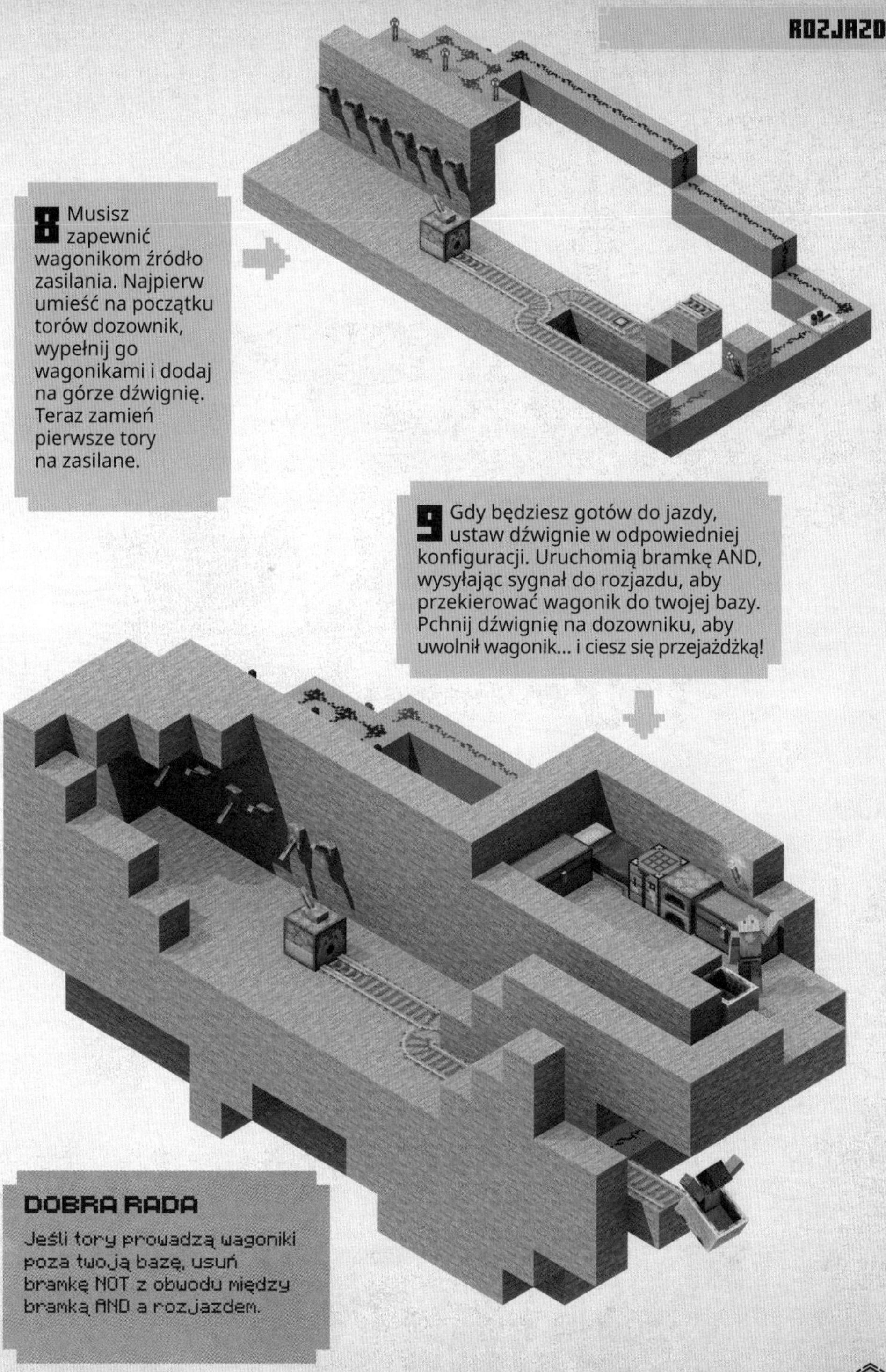

8 Musisz zapewnić wagonikom źródło zasilania. Najpierw umieść na początku torów dozownik, wypełnij go wagonikami i dodaj na górze dźwignię. Teraz zamień pierwsze tory na zasilane.

9 Gdy będziesz gotów do jazdy, ustaw dźwignie w odpowiedniej konfiguracji. Uruchomią bramkę AND, wysyłając sygnał do rozjazdu, aby przekierować wagonik do twojej bazy. Pchnij dźwignię na dozowniku, aby uwolnił wagonik... i ciesz się przejażdżką!

DOBRA RADA

Jeśli tory prowadzą wagoniki poza twoją bazę, usuń bramkę NOT z obwodu między bramką AND a rozjazdem.

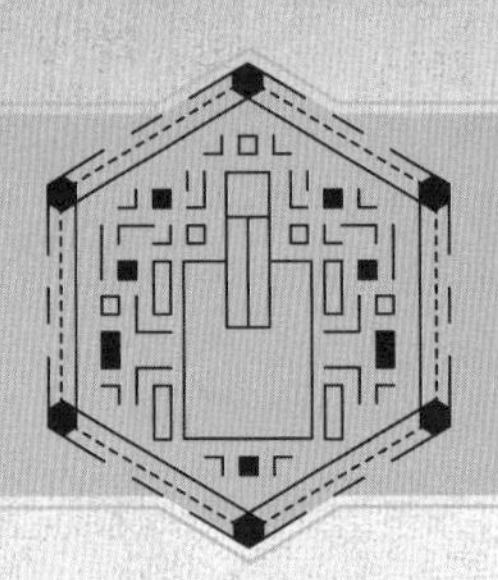

ALTERNATYWNE ZAMKI SZYFROWE

SUPERZABEZPIECZENIE

Przy zaledwie sześciu dźwigniach istnieje prawdopodobieństwo, że intruzi będą w stanie odgadnąć odpowiednią kombinację. Wyklucz je, budując większą ścianę z większą liczbą dźwigni! Możesz użyć czerwonych schodów, aby poprowadzić sygnał z wyższych poziomów. Obwód będzie działał, dopóki będą go zasilały trzy linie wejściowe.

AŻ PO KRES

Pozwolenie, aby wagonik intruza spadł z urwiska ma w sobie pewną poetycką sprawiedliwość, ale jeśli naprawdę chcesz dać mu nauczkę, zbuduj portal Endu, w który wpadnie nieproszony gość. Wyślesz go do innego wymiaru – a nawet jeśli wróci, będzie się musiał wspiąć na urwisko...

Znasz już kolejne sposoby na rozprawienie się z intruzami, którzy połaszą się na twój cenny dobytek... ale to nie koniec zabawy! Spróbuj zmodyfikować swój projekt, aby zapewnić swojej bazie lepszą ochronę... lub bardziej uprzykrzyć życie nieproszonym gościom!

Możesz również rozbudować swoją trasę, urozmaicając intruzom podróż! Użyj kombinacji torów aktywacyjnych i zasilanych, aby zamiast spychać ich z urwiska, wysłać ich w podróż z dala od bazy. Dopilnuj tylko, by punkt docelowy był na tyle daleko, że powrót zabierze im co najmniej kilka dni...

Im więcej zwrotów, zakrętów i podjazdów dodasz, tym bardziej zmylisz nieproszonych gości.

POZA TORAMI

Istnieje prawdopodobieństwo, że intruzi zamiast wskoczyć do wagonika postanowią po prostu iść wzdłuż torów (jak tak można?!), więc jeśli chcesz dobrze zabezpieczyć bazę, połącz zamek szyfrowy z żelaznymi drzwiami lub mechanizmem drzwi z tłokiem. To mniej zabawne i widowiskowe, ale zagwarantuje ci bezpieczeństwo.

DOBRA RADA

Dodaj do długich fragmentów swojej trasy sporo stromych zjazdów lub zasilanych torów, aby twoje wagoniki dotarły do celu.

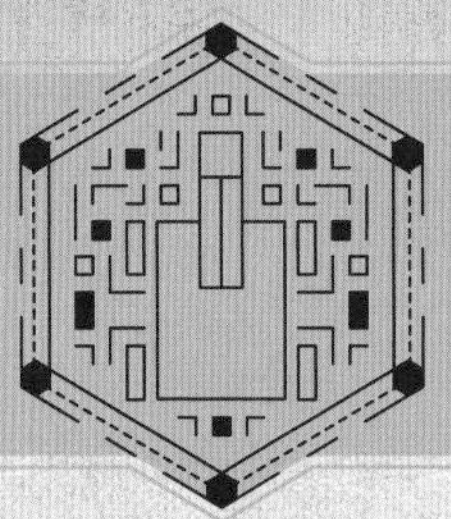

SELEKTOR PRZEDMIOTÓW

TRUDNOŚĆ:

90 minut

Przeszukiwanie różnych bloków magazynujących w nadziei na znalezienie potrzebnego przedmiotu bywa uciążliwe. Dzięki temu selektorowi wybierzesz potrzebne rzeczy z książki, która pojawi się przed tobą po wciśnięciu przycisku. Przekonajmy się, jak go zbudować.

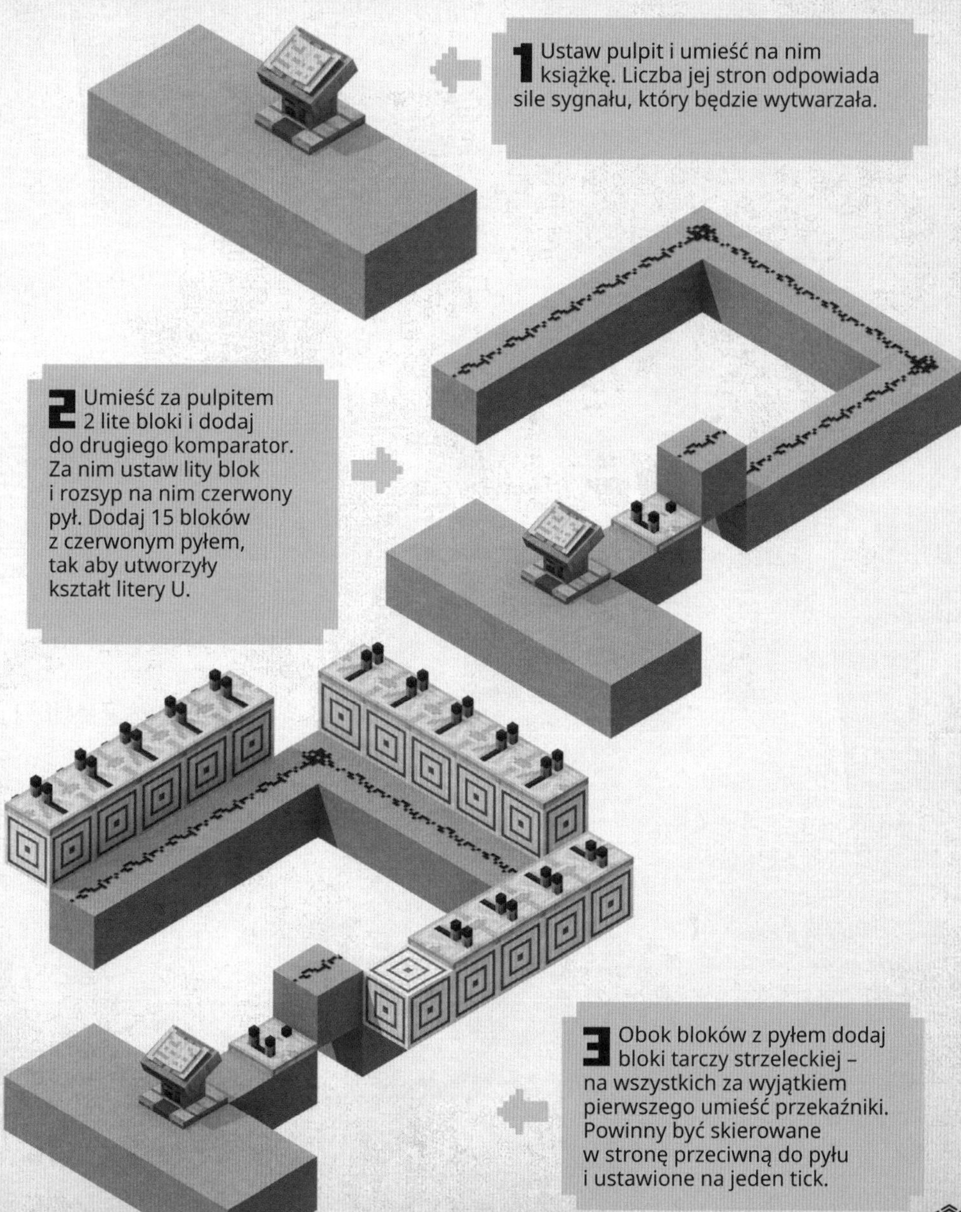

1 Ustaw pulpit i umieść na nim książkę. Liczba jej stron odpowiada sile sygnału, który będzie wytwarzała.

2 Umieść za pulpitem 2 lite bloki i dodaj do drugiego komparator. Za nim ustaw lity blok i rozsyp na nim czerwony pył. Dodaj 15 bloków z czerwonym pyłem, tak aby utworzyły kształt litery U.

3 Obok bloków z pyłem dodaj bloki tarczy strzeleckiej – na wszystkich za wyjątkiem pierwszego umieść przekaźniki. Powinny być skierowane w stronę przeciwną do pyłu i ustawione na jeden tick.

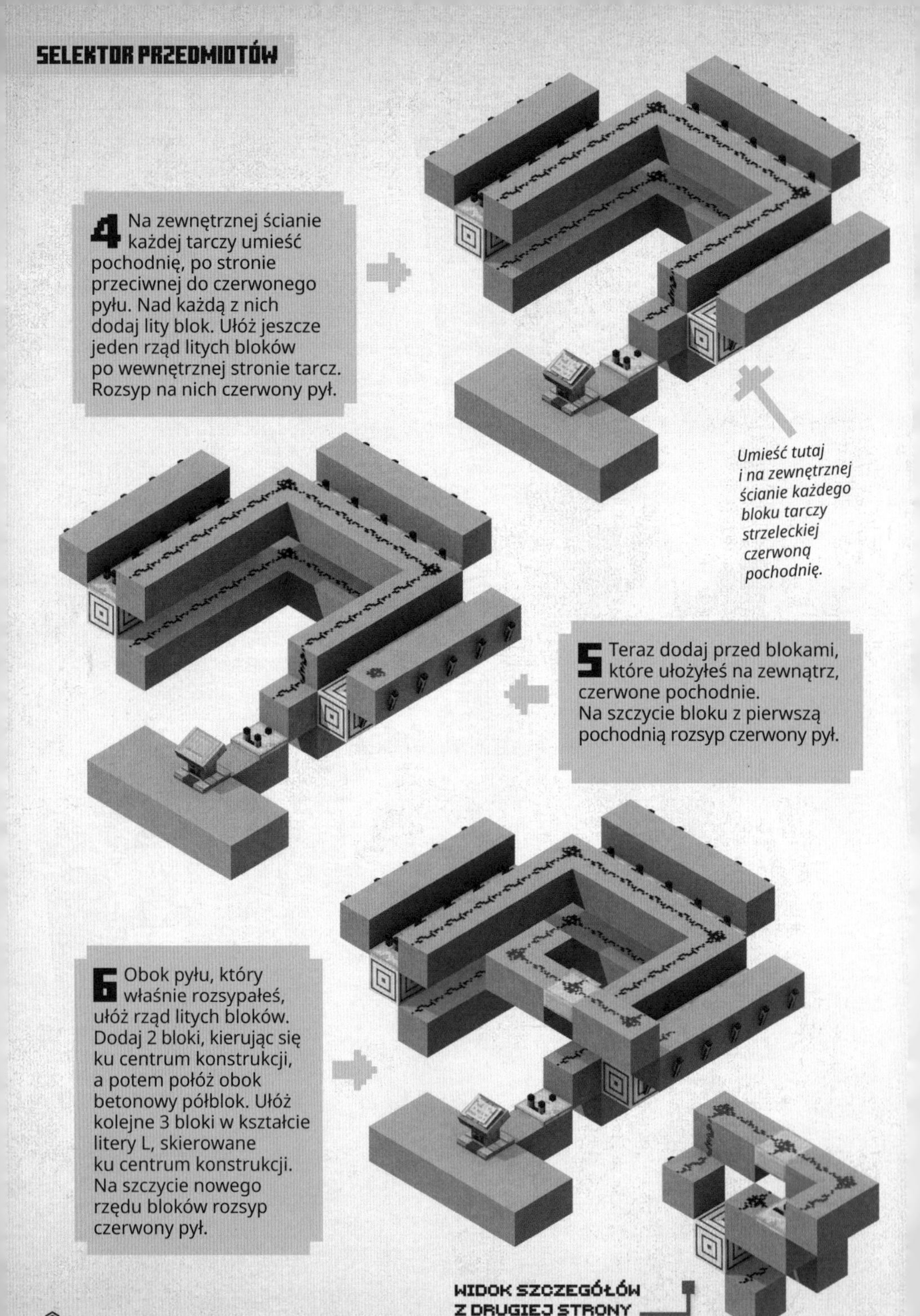

4 Na zewnętrznej ścianie każdej tarczy umieść pochodnię, po stronie przeciwnej do czerwonego pyłu. Nad każdą z nich dodaj lity blok. Ułóż jeszcze jeden rząd litych bloków po wewnętrznej stronie tarcz. Rozsyp na nich czerwony pył.

5 Teraz dodaj przed blokami, które ułożyłeś na zewnątrz, czerwone pochodnie. Na szczycie bloku z pierwszą pochodnią rozsyp czerwony pył.

6 Obok pyłu, który właśnie rozsypałeś, ułóż rząd litych bloków. Dodaj 2 bloki, kierując się ku centrum konstrukcji, a potem połóż obok betonowy półblok. Ułóż kolejne 3 bloki w kształcie litery L, skierowane ku centrum konstrukcji. Na szczycie nowego rzędu bloków rozsyp czerwony pył.

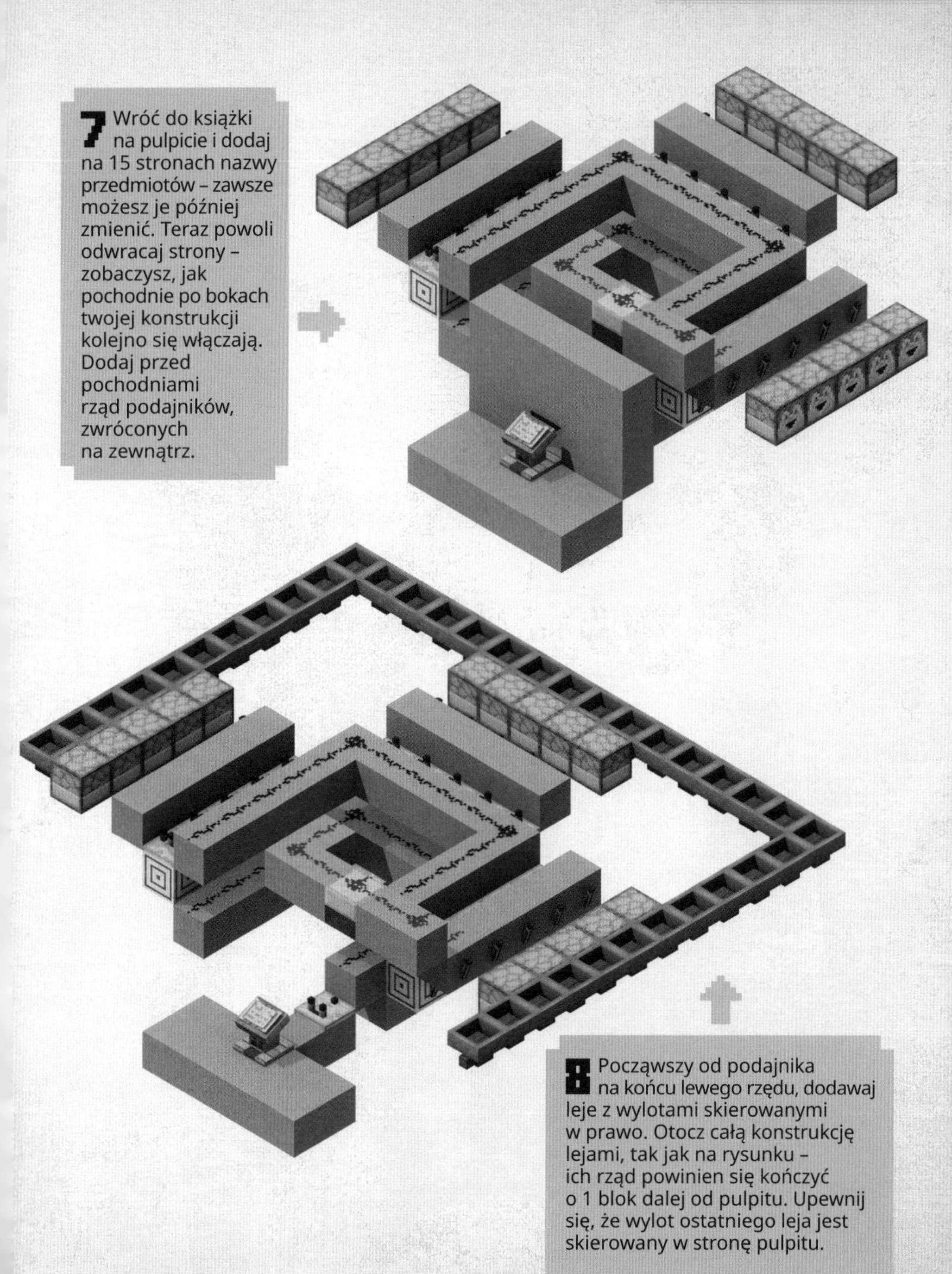

7 Wróć do książki na pulpicie i dodaj na 15 stronach nazwy przedmiotów – zawsze możesz je później zmienić. Teraz powoli odwracaj strony – zobaczysz, jak pochodnie po bokach twojej konstrukcji kolejno się włączają. Dodaj przed pochodniami rząd podajników, zwróconych na zewnątrz.

8 Począwszy od podajnika na końcu lewego rzędu, dodawaj leje z wylotami skierowanymi w prawo. Otocz całą konstrukcję lejami, tak jak na rysunku – ich rząd powinien się kończyć o 1 blok dalej od pulpitu. Upewnij się, że wylot ostatniego leja jest skierowany w stronę pulpitu.

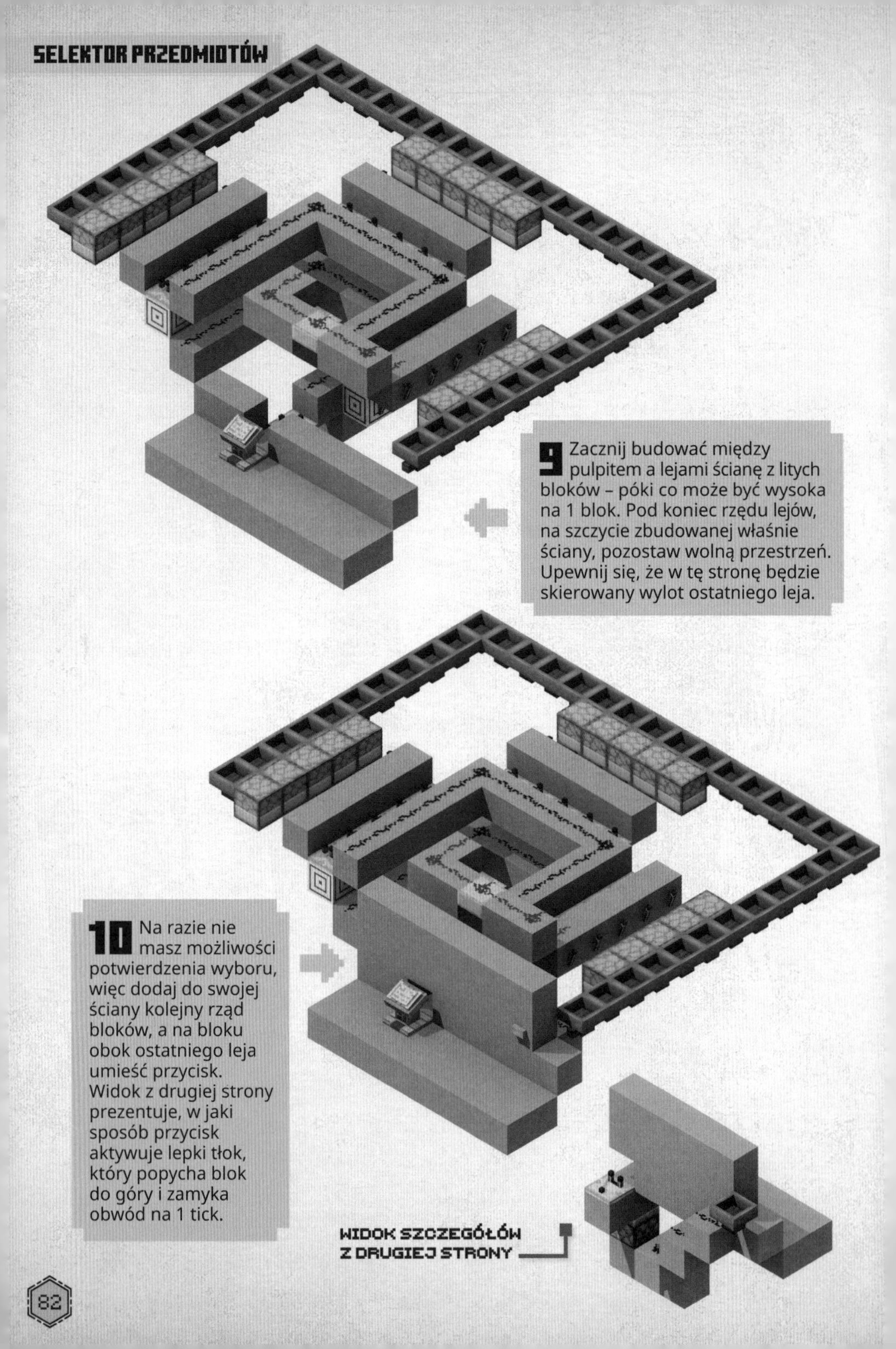

9 Zacznij budować między pulpitem a lejami ścianę z litych bloków – póki co może być wysoka na 1 blok. Pod koniec rzędu lejów, na szczycie zbudowanej właśnie ściany, pozostaw wolną przestrzeń. Upewnij się, że w tę stronę będzie skierowany wylot ostatniego leja.

10 Na razie nie masz możliwości potwierdzenia wyboru, więc dodaj do swojej ściany kolejny rząd bloków, a na bloku obok ostatniego leja umieść przycisk. Widok z drugiej strony prezentuje, w jaki sposób przycisk aktywuje lepki tłok, który popycha blok do góry i zamyka obwód na 1 tick.

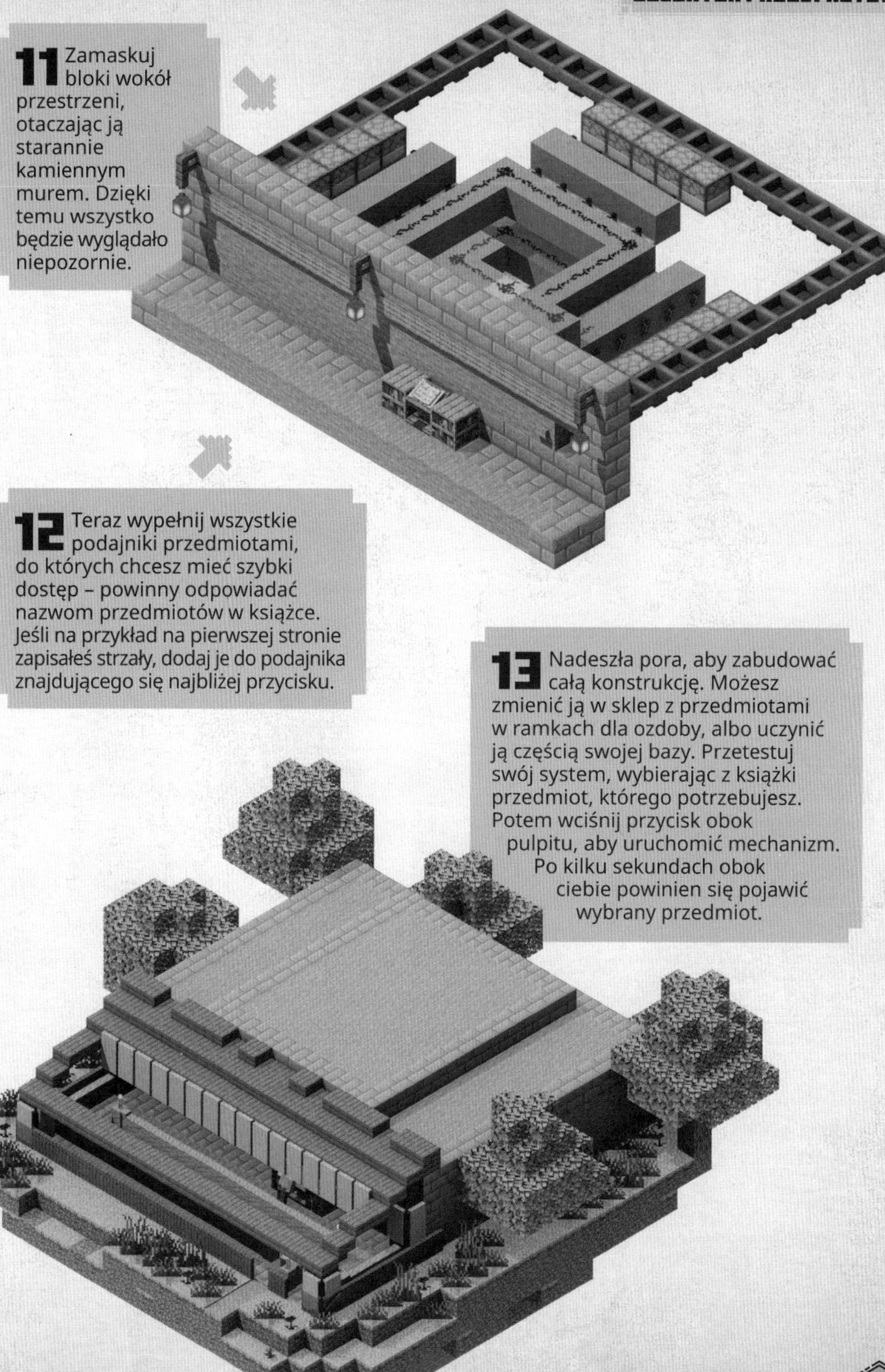

11 Zamaskuj bloki wokół przestrzeni, otaczając ją starannie kamiennym murem. Dzięki temu wszystko będzie wyglądało niepozornie.

12 Teraz wypełnij wszystkie podajniki przedmiotami, do których chcesz mieć szybki dostęp – powinny odpowiadać nazwom przedmiotów w książce. Jeśli na przykład na pierwszej stronie zapisałeś strzały, dodaj je do podajnika znajdującego się najbliżej przycisku.

13 Nadeszła pora, aby zabudować całą konstrukcję. Możesz zmienić ją w sklep z przedmiotami w ramkach dla ozdoby, albo uczynić ją częścią swojej bazy. Przetestuj swój system, wybierając z książki przedmiot, którego potrzebujesz. Potem wciśnij przycisk obok pulpitu, aby uruchomić mechanizm. Po kilku sekundach obok ciebie powinien się pojawić wybrany przedmiot.

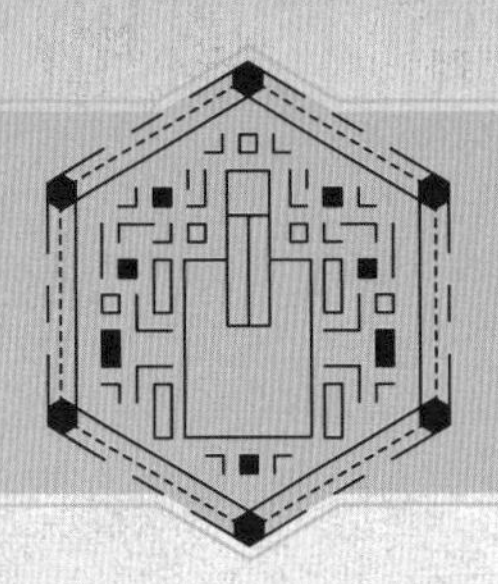

ALTERNATYWNE SELEKTORY

MNIEJSZY SELEKTOR

To idealne rozwiązanie, jeśli nie masz czasu na tworzenie dużej konstrukcji lub jeżeli chcesz go dodać do istniejącej już bazy. Przy wykorzystaniu tego samego układu możesz stworzyć mniejszy mechanizm, działający w ten sam sposób. Postępuj zgodnie ze wskazówkami z poprzednich stron, ale użyj ustawionych w prostą linię podajników i lejów.

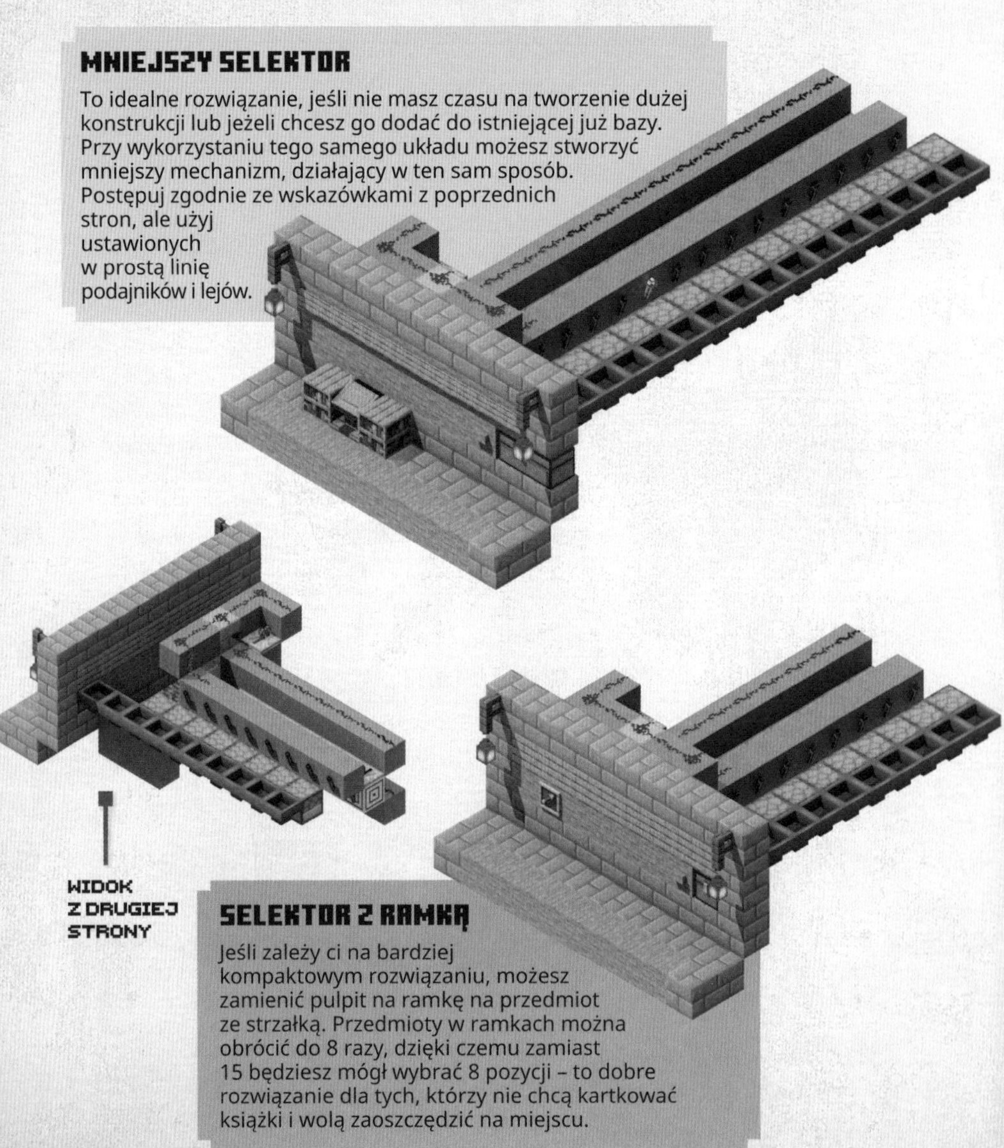

WIDOK Z DRUGIEJ STRONY

SELEKTOR Z RAMKĄ

Jeśli zależy ci na bardziej kompaktowym rozwiązaniu, możesz zamienić pulpit na ramkę na przedmiot ze strzałką. Przedmioty w ramkach można obrócić do 8 razy, dzięki czemu zamiast 15 będziesz mógł wybrać 8 pozycji – to dobre rozwiązanie dla tych, którzy nie chcą kartkować książki i wolą zaoszczędzić na miejscu.

Możesz dowolnie modyfikować cały mechanizm twojego selektora! Wykorzystaj go do mierzenia liczby przedmiotów, ich gromadzenia albo skatalogowania wszystkich przedmiotów w grze! Oto kilka alternatywnych pomysłów.

MASOWA PRODUKCJA

Zamieniając przycisk połączony z podajnikiem na dźwignię i dodając układ zegarowy za pulpitem, możesz sprawić, że obwód będzie powodował wielokrotne uwalnianie tego samego przedmiotu. Nie ma prostego sposobu na wybranie dokładnej liczby, ale to świetny dodatek, jeśli chcesz mieć na podorędziu zapas strzał, bloków dekoracyjnych czy żywności.

WIDOK SZCZEGÓŁOWY

BIBLIOTEKA PRZEDMIOTÓW

Jeśli lubisz mieć wszystko uporządkowane, rozważ stworzenie biblioteki przedmiotów. To w zasadzie zwielokrotniona konstrukcja selektora z dozownikiem dla każdego przedmiotu w grze, dzięki której zawsze będziesz mieć pod ręką każdy blok. Dodaj na przedzie każdego selektora oznaczenie (dodatkowe punkty, jeśli ustawisz przedmioty w porządku alfabetycznym!) i schody, aby przemieszczać się między poziomami.

JIGARBOY PRZEDSTAWIA: POZNAJ CZERWONY KAMIEŃ

W CZYM POMAGA WIEDZA O CZERWONYM KAMIENIU?

Stworzyłem *Jig's Guide: Redstone Basics*, bo kocham czerwony kamień. To jedna z rzeczy, które zmieniają interakcję ze światem gry ze zwykłego wydobywania, prób przetrwania i budowania w rozwiązywanie łamigłówek, tworzenie zautomatyzowanych rozwiązań oraz mechanizmów, które wpływają na otaczający świat inaczej niż zwykły kilof.

CZY BYŁEŚ ŚWIADOM ZAPOTRZEBOWANIA NA TAKI PORADNIK JAK TWÓJ?

Nie sądzę, by ludzie mieli jakieś poważne problemy z używaniem czerwonego kamienia, ale początki bywają trudne. Czerwonych komponentów jest bardzo wiele i czasem nie wiadomo, od czego zacząć. Eksplorowanie i odkrywanie sposobów na stawianie czoła wyzwaniom raczej nie sprawia graczom trudności, w przeciwieństwie do czerwonego kamienia, bo nigdzie nie ma instrukcji, jak właściwie go używać!

A TY? W JAKI SPOSÓB POZNAWAŁEŚ CZERWONY KAMIEŃ?

Gdy zaczynałem swoją przygodę, poza filmikami na YouTubie było bardzo niewiele źródeł wiedzy o nim. Żałuję, że nie miałem wtedy dostępu do takich książek jak ta... I mam nadzieję, że każdy, kto po nią sięgnie i zdobędzie nieco doświadczenia, przekona się, że czerwony kamień nie jest taki straszny!

Nasz spec od czerwonego kamienia nie zamierza spocząć na laurach i poprzestać na byciu ekspertem! Chce dzielić się swoją wiedzą z graczami. Jego bezpłatny, dostępny na Marketplace poradnik *Jig's Guide: Redstone Basics* to świetny sposób na poznanie czerwonego kamienia.

CZEGO MOŻNA, A CZEGO NIE MOŻNA SIĘ NAUCZYĆ?

Mnóstwo ludzi korzysta z zewnętrznych źródeł, aby poznać mechanikę Minecrafta – włącznie z tą książką. Dają one wspaniały wgląd w to, co możesz zrobić w grze, ale charakter tego medium ma swoje ograniczenia, bo to wiedza teoretyczna. Mechanika czerwonego kamienia to jedna z tych rzeczy, które trudno jest przyswoić bez przysłowiowego brudzenia sobie rąk. Mam nadzieję, że mój poradnik pozwoli poznać podstawy tego budulca i rozwieje wątpliwości początkujących.

CO STAWIAŁEŚ SOBIE ZA CEL, TWORZĄC TEN PORADNIK?

Liczę na to, że po zapoznaniu się z nim gracze będą dobrze rozumieli podstawy działania czerwonego kamienia – na przykład jak długą drogę może przebyć sygnał, jak można go zasilić i co można uruchomić za jego pomocą. Każdy komponent ma swój dział, a poradnik jest aktualizowany za każdym razem, gdy pojawia się nowy przedmiot, dzięki czemu gracze mogą go dobrze poznać, tak aby nie bać się eksperymentować z nim na własną rękę.

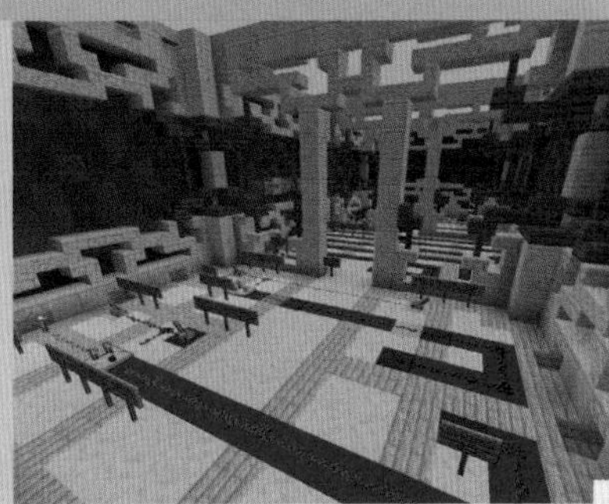

CZY DZIĘKI TEMU STANĄ SIĘ MISTRZAMI CZERWONEGO KAMIENIA?

Nie jestem pewien, czy ktokolwiek mógłby się mienić mistrzem czerwonego kamienia! Nawet ja codziennie uczę się nowych rzeczy. Moja mapa zawiera kilka naprawdę skomplikowanych maszyn i opisy tego, jak działają. Liczę na to, że gracze dostrzegą potencjał i dowiedzą się dość, by ośmielili się odkrywać sekrety czerwonego kamienia samodzielnie.

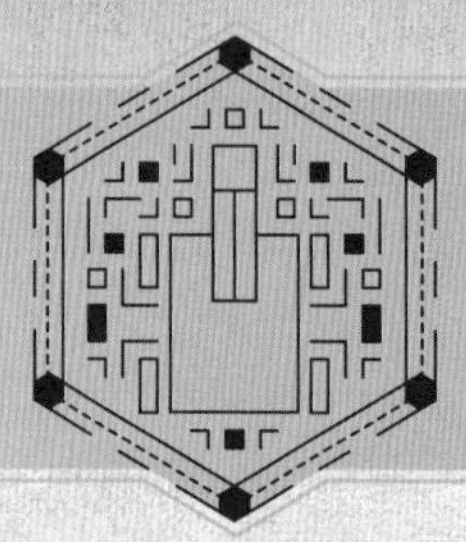

WIERTŁO

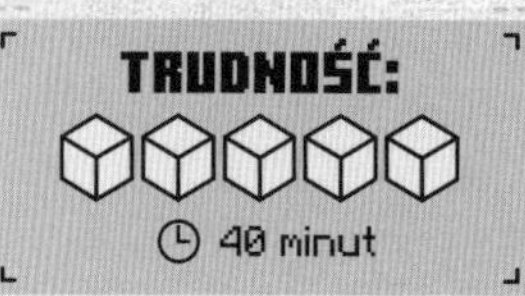

GŁÓWNE BLOKI

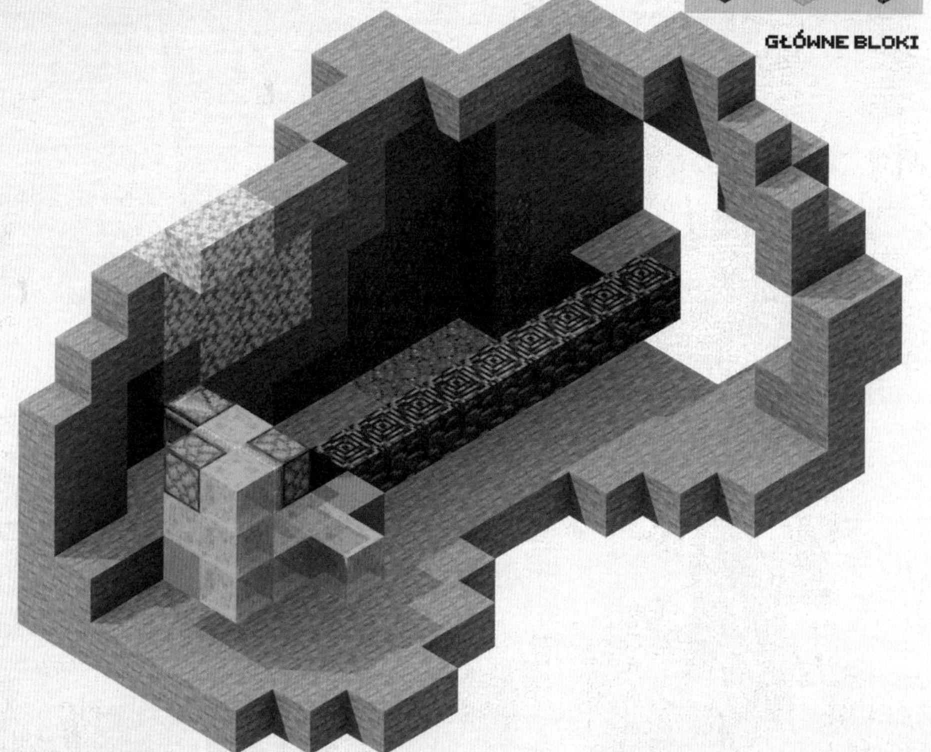

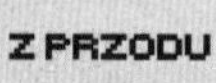

Z PRZODU

Z BOKU

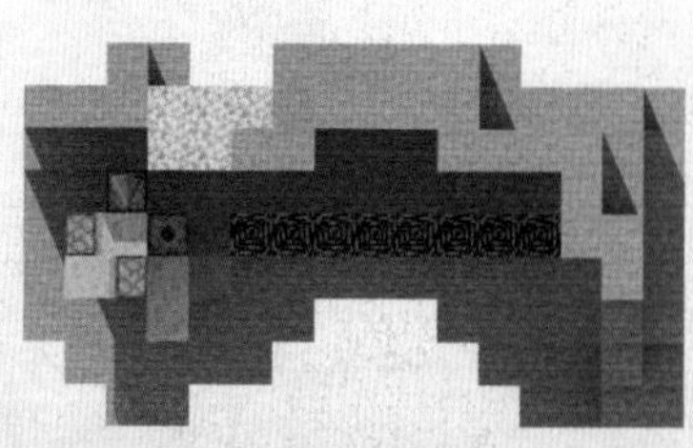

Z GÓRY

Jeśli chcesz uprościć proces wydobywania, to wiertło będzie idealnym wyborem. Użyty w nim dozownik aktywuje i wystrzeliwuje TNT z działa, które prze naprzód wraz z każdą eksplozją. Postępuj zgodnie z poniższymi wskazówkami, aby móc błyskawicznie wydobywać surowce!

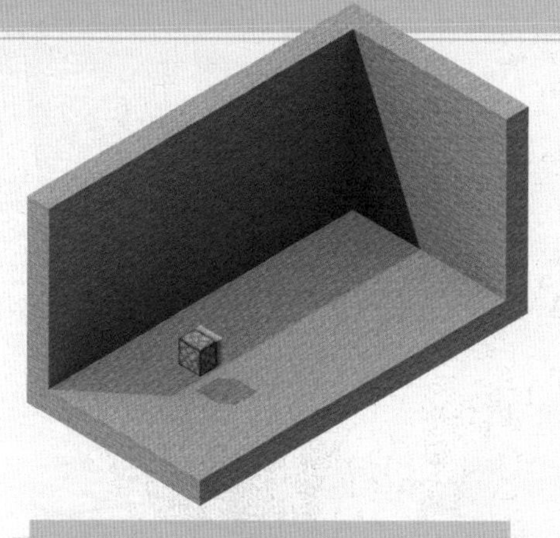

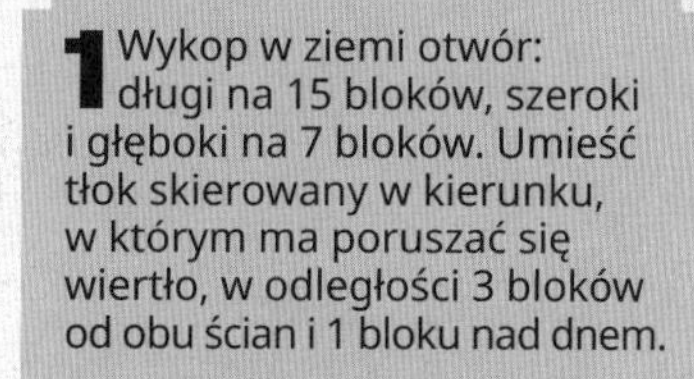

1 Wykop w ziemi otwór: długi na 15 bloków, szeroki i głęboki na 7 bloków. Umieść tłok skierowany w kierunku, w którym ma poruszać się wiertło, w odległości 3 bloków od obu ścian i 1 bloku nad dnem.

2 Za tłokiem umieść detektor. Jego przednia ściana powinna być skierowana przeciwnie do tłoka, tak aby ściana wyjściowa była zwrócona w jego stronę. Na nim umieść jeszcze jeden detektor, ustawiony odwrotnie.

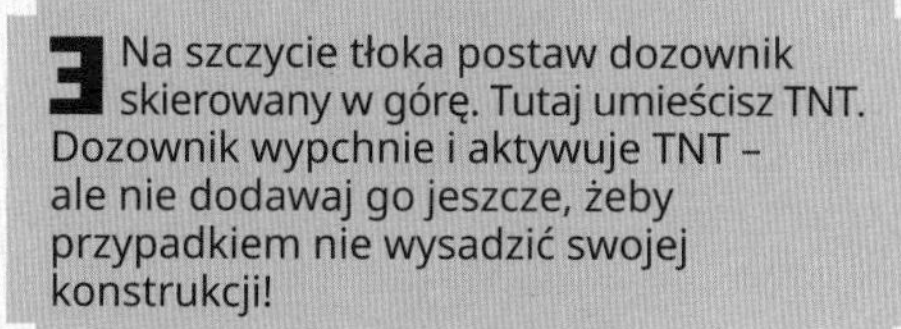

3 Na szczycie tłoka postaw dozownik skierowany w górę. Tutaj umieścisz TNT. Dozownik wypchnie i aktywuje TNT – ale nie dodawaj go jeszcze, żeby przypadkiem nie wysadzić swojej konstrukcji!

4 Ułóż na drugim detektorze blok szlamu i dodaj z boku jeszcze jeden detektor, zwrócony w przeciwną stronę. Możliwe, że aby ustawić go właściwie, trzeba będzie użyć kilku tymczasowych bloków.

5 Umieść za detektorem ustawionym w kroku 3 lity blok, a następnie dodaj kolejny blok szlamu i tłok skierowany w stronę pierwszego bloku szlamu. Po aktywacji ten tłok będzie popychał szlam, powodując, że TNT będzie wyrzucany z dala od konstrukcji.

6 Po prawej stronie najwyżej umieszczonego bloku szlamu dodaj lepki tłok, zwrócony ku tyłowi konstrukcji. Dodaj do niego blok szlamu, a potem ułóż z bloków szlamu literę L, zaczynając z tego miejsca i kończąc obok dolnego lepkiego tłoku.

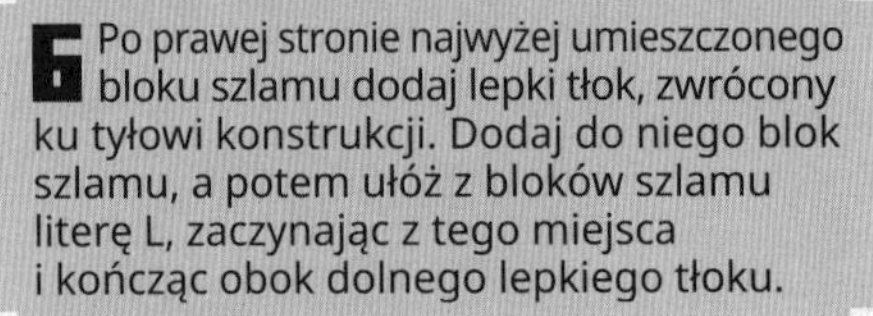

7 Dodaj lity blok przed ostatnim blokiem szlamu i jeszcze 1 blok szlamu po prawej stronie od niego.

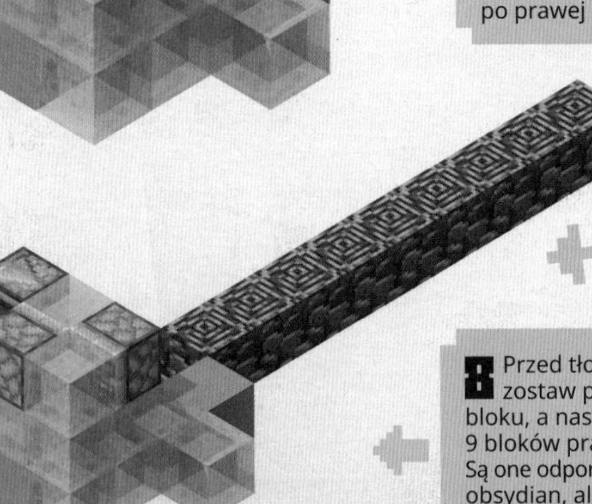

Jeśli zmniejszysz liczbę bloków pradawnych zgliszczy, twój mechanizm zostanie prawdopodobnie zniszczony.

8 Przed tłokiem pod dozownikiem zostaw przestrzeń jednego bloku, a następnie ustaw w rzędzie 9 bloków pradawnych zgliszczy. Są one odporne na wybuchy TNT tak jak obsydian, ale mogą być popychane i przyciągane przez szlam i tłoki.

9 Usuń bloki spod wiertła i z jego otoczenia, aby zyskać pewność, że żadne nie przylgną do szlamu w twojej konstrukcji. W przeciwnym razie tłok zostanie zbytnio obciążony i wiertło nie zadziała.

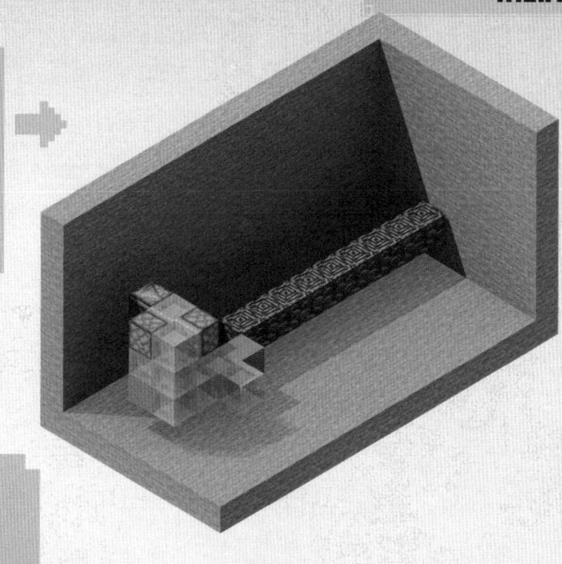

10 Teraz napełnij dozownik TNT i umieść z boku przycisk. Kiedy go wciśniesz, uwolni TNT, które wykryją detektory, zasilając okoliczne tłoki. W ten sposób TNT wystrzeli wzdłuż rzędu pradawnych zgliszczy i popchnie szlam, który pociągnie za sobą resztę konstrukcji.

DOBRA RADA

Gdy wciśniesz przycisk, zostanie on zniszczony wskutek ruchu, bo nie jest przymocowany do szlamu ani lepkiego tłoku. Możesz go jednak podnieść, położyć na dawnym miejscu i ponownie wcisnąć.

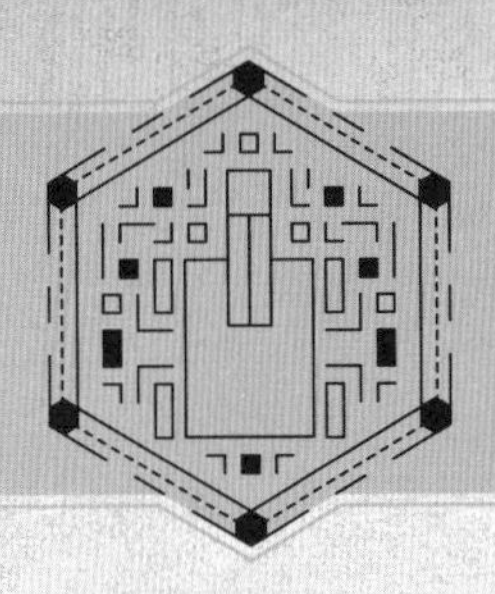

WIĘCEJ RUCHOMYCH MECHANIZMÓW

SYSTEM WYDOBYWANIA BLOKÓW

Dzięki połączeniu szlamu, tłoków i detektorów zagłębisz się w ziemię – ten stacjonarny system nie przemieszcza się jednak, a jedynie wystrzeliwuje TNT. Zamiast kopać poziome tunele, będziesz tworzyć gigantyczne rozpadliny, prowadzące aż do poziomu skały macierzystej. Ponieważ to urządzenie się nie porusza, przycisk pozostanie na swoim miejscu.

Musisz ustawić odpowiednio czas, aby upewnić się, że TNT wybuchnie, nim pojawi się nowy blok.

MOC PRZEKAŹNIKA

Przycisk utrzymywany w jednym miejscu oznacza, że możesz bardziej zautomatyzować swój system. Zastąp przycisk obwodem zegarowym z dużym opóźnieniem, aby wystrzeliwać blok TNT co kilka sekund – te cenne chwile pozwolą TNT wylądować i eksplodować, zanim zostanie wystrzelony kolejny blok. Niewykluczone, że trzeba będzie dokonać modyfikacji, jeśli rów stanie głębszy niż 80 bloków, bo TNT nie będzie już docierało do dna!

Wiertło z poprzednich stron w świetny sposób obrazuje, jak możesz zautomatyzować proces wydobywania... ale to nie koniec możliwości! Z użyciem podobnych metod możesz stworzyć inne urządzenia wydobywcze, na przykład wyrzutnię TNT lub ruchome pojazdy... a nawet rakietę!

SAMOLOTY, POCIĄGI I... RAKIETY!

Ruchomy mechanizm wiertła jest dość skomplikowany, ale to tylko dowód, że w Minecrafcie można tworzyć podobne maszyny. W tej uproszczonej konstrukcji wykorzystano te same bloki – detektory, tłoki i bloki szlamu – do uzyskania automatycznej funkcji, która może być podstawą dalszych eksperymentów. Można nawet stworzyć pionowy system, by zrobić rakietę!

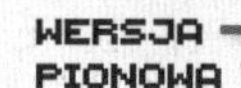

KREATOR MATERIAŁÓW

Jeśli obrócisz dozownik tak, aby był skierowany do przodu zamiast do góry (możesz też pozbyć się tłoka, który popycha TNT), możesz wykorzystać tę konstrukcję do innych celów. Wypełnij dozownik wiadrami z wodą. Gdy zetknie się ona z lawą, stworzy bloki bruku – lub obsydianu, jeśli napotka bloki źródła lawy. Jeżeli zamiast tego wylejesz lawę na wodę, uzyskasz kamień. Istnieje wiele innych rzeczy, które można dozować, więc dostosuj urządzenie do swoich potrzeb.

Gdy lawa zetknie się z glebą dusz i niebieskim lodem lodowcowym, powstanie bazalt.

POŻEGNANIE

Czy wiesz, że rakiety, które wysłały pierwszych amerykańskich astronautów w kosmos, nosiły miano Redstone, czyli czerwony kamień? Te cuda techniki powstały wskutek tego samego toku myślenia, który uruchamia się podczas czytania tej książki i grania w trakcie jej lektury!

Wiesz już, jak łączyć ze sobą proste elementy, aby stworzyć skomplikowane układy, i prawdopodobnie umiesz już także rozwiązywać problemy, gdy coś działa nie tak, jak trzeba.

Co teraz? Możesz pójść jeszcze dalej, oglądając filmiki nagrywane przez innych speców od czerwonego kamienia! Pamiętaj, że wszyscy, nawet twórcy map przygód i minecraftowych minigierek, zaczynali od zera – tak samo, jak ty!

Nigdy nie lekceważ też tego, czego możesz się nauczyć, grając bez pomocy innych! Kombinuj, eksperymentuj, niszcz, naprawiaj – projekt po projekcie, a już wkrótce zostaniesz ekspertem od czerwonego kamienia!

DZIĘKUJEMY, ŻE GRASZ!